Y
GANRIF
AR LAFAR

HYD EIN HOES
Lleisiau Cymru

Y GANRIF AR LAFAR

HYD EIN HOES
Lleisiau Cymru

Rhan o 'Hyd Ein Hoes – Y Ganrif ar Lafar'
*(Cynllun Hanes Llafar y Mileniwm, **BBC Radio Cymru**)*
y detholiad a'r golygu gan
R. Arwel Jones

TEMPUS

Tempus Publishing Limited
The Mill, Brimscombe Port,
Stroud, Gloucestershire, GL5 2QG

ISBN 0 7524 1845 9

Typesetting and origination by
Tempus Publishing Limited
Printed in Great Britain by
Midway Clark Printing, Wiltshire

Ceffyl a throl. Llun trwy garedigrwydd y Llyfrgell Genedlaethol.

Cynnwys

GAIR O GYFLWYNIAD

Mae cynnwys y gyfrol hon yn ddetholiad byr o gyfweliadau a wnaed ar gyfer 'Y Ganrif ar Lafar – Cynllun Hanes Llafar y Mileniwm i'r BBC' ac a recordiwyd ar hyd a lled Cymru rhwng Hydref 1998 a Haf 1999, ynghyd â chrynhoad byr o brif themâu'r ganrif y cyffyrddwyd â hwy tra'n holi.

O'n hamgylcheddau a'n tirluniau amrywiol a chyfnewidiol, i'n bywydau cymunedol a phersonol. O'r crud i'r bedd ac weithiau y tu hwnt i hynny hefyd. Dyna hyd a lled y sylwadau a geir rhwng cloriau'r gyfrol hon. Nid cofnodion ffeithiol yn unig mohonynt – maen nhw'n cyffwrdd hefyd â byd y dychymyg – a phwy sydd i ddweud pa un sydd bwysica' yn y diwedd?

Pwy y'n ni, beth y'n ni'n gredu, a sut yr aethon ni ati i gyd-fyw yn y darn bach hwn o dir ar ddiwedd mileniwm? Ceisio codi cwr y llen ac ateb rhai o'r cwestiynau hyn yw hanfod *Hyd Ein Hoes*, a cheisio crynhoi rhyw gymaint ar *hud* yn ogystal â *hyd* ein hoes yn ystod y ganrif. Yng Nghymru, fel yng ngwledydd eraill Prydain, holwyd trawsdoriad eang o bobl o bob oed ar gyfer y cynllun – oddeutu chwe mil o bobl i gyd. Yn y Gymraeg, llwyddwyd i holi dros gant a hanner ohonoch gan gasglu yn agos i bedwar cant o oriau ar ddisg – yn atgofion, yn farn a rhagfarn. O'r flwyddyn nesaf, bydd modd clywed y cyfweliadau hyn a rhai eraill ar eu hyd, dan faner 'Banc Cof y Mileniwm' yn y Llyfrgell Brydeinig yn Llundain ac yn y Llyfrgell Genedlaethol yn Aberystwyth.

I haneswyr y dyfodol gobeithiwn y bydd yr archif o gyfweliadau, y cyfresi radio a'r cyfrolau eraill a grewyd fel rhan o'r cynllun, yn wythïen gyfoethog i durio ynddi ac yn ffenest fach ar fywydau nifer fawr o bobl nad oes fel arfer le iddyn nhw ar dudalennau hanes.

Yn garedig iawn, cytunodd Arwel Jones o'r Llyfrgell Genedlaethol i ymgymryd â'r gwaith o gydlynu'r gyfrol a'i llwyo trwy'r wasg ar ein rhan, a hynny mewn amser byr iawn. Mae'n diolch iddo yn fawr a diffuant.

Ond mae'r diolch mwya i'r rheiny gytunodd i gael eu holi ganddon ni dros y misoedd diwetha', ac i roi o'u hamser a'u hamynedd i ddau ddieithryn fynd ar dramp drwy eu bywydau – diolch am y fraint.

Owain Arfon Williams a Jon Gower (BBC Radio Cymru)

RHAGYMADRODD

Ym Mehefin y derbyniais i'r gwahoddiad i olygu'r llyfr hwn. Ers hynny rwyf wedi gwrando ar tua cant o oriau o gyfweliadau. Roedd yn bleser sylweddoli fod y rhai a holwyd yn ifanc yn ogystal â hen a bod pobl o bob cenhedlaeth a phob cefndir wedi cael cyfle i adrodd am eu profiad hwy o fyw yn yr ugeinfed ganrif.

Roedd gwrando ar y cyfweliadau yn brofiad rhyfedd, roedd y cyfan yn ddiddorol, rhai rhannau yn ddiflas a rhai rhannau yn wirioneddol wefreiddiol, eraill yn hynod o ddoniol – ond ddylwn i ddim synnu, wedi'r cyfan dyna sut beth yw bywyd.

Gwnaethpwyd pob ymdrech i gyfleu naws lafar y cyfweliadau yn yr adysgrifau hyn. Teimlwyd bod iaith y cyfweliadau, boed wych neu wachul, yn rhan o'r dystiolaeth sydd gan y cynllun hwn i'w chynnig. Roedd hi'n braf meddwl fod ambell ymadrodd wedi ei ddiogelu ar dâp, nid am fod yr iaith yn marw ond am fod y profiadau yr oedd hi'n mynd i'r afael â nhw yn peidio â bod. Ond roedd hi'n brafiach darganfod y perlau oedd ymhob un cyfweliad, boed hynny'n idiomau yn codi fel llamhidyddion yn annisgwyl o sgwrs ddigon cyffredin, neu'r iaith yn mynd i'r afael yn rymus â phrofiadau cwbl newydd. Lle nad yw geiriau'r cyfranwyr yn gywir ac yn groyw, arnaf i mae y bai ac erfyniaf am eich maddeuant.

Ceisiais weu rhyw gymaint o ddilyniant rhwng y naill stori a'r llall ymhob adran a rhwng y storïau a'r lluniau, nid oedd hynny yn bosibl bob tro, a gobeithio gallwch gamu dros y bylchau a mwynhau'r daith yn ei chyfanrwydd.

Roedd hi'n braf cael dod i adnabod y detholiad bychan hwn o ddeg ar hugain neu ragor o'r degau o bobl a holwyd. Ychydig ohonynt dwi wedi eu cyfarfod yn bersonol, ond mae fy niolch am gael gwrando ar y cyfweliadau ac am gael benthyg y lluniau yn ddiffuant. Mae gen i fy ffefrynnau a dwi ddim am ymddiheuro am hynny – mae yna athronwyr a digrifwyr i ryfeddu atynt ymysg y casgliad hwn, mwynhewch nhw!

Ac os caniatewch sylw personol i mi, dyw nodi'r ystod amser rhwng Hywel Dda a Hywel Gwynfryn ddim yn golygu rhyw lawer i mi ac mae pob toriad gwawr yn nodi canrif ers iddi wawrio gan mlynedd ynghynt. Ond efallai y dylwn beidio â bod yn sinig am unwaith a diolch fod diwedd y ganrif a'r mileniwm hwn wedi rhoi rheswm dros gofnodi'r cyfweliadau hyn, mae'r cyfan wedi bod yn bleser ac yn fwynhad.

R. Arwel Jones
17 Awst 1999

Merch fach yn y cynhaeaf gwair. Llun trwy garedigrwydd y Llyfrgell Genedlaethol.

Cadw tŷ mewn cwmwl tystion

Caru a chasáu

Cymro ydw i drwyddo draw. Yn naturiol mae Prydain yn bwysig ond rwy'n meddwl fel Cymro tu fewn i Ewrop yn fwy na Cymro o dan Brydain. Mae bod yn Gymro yn bopeth i mi. Dwi ddim yn casáu y bobl sydd dros y ffin ond dwi'n caru fy nghenedl yn fawr iawn. Mae rhai pobl yn meddwl os wyt ti'n caru dy genedl mae'n rhaid dy fod ti'n casáu pethach eraill ond dyw hynny ddim yn wir.

Arwel Michael (58), Pen-rhos, Ystradgynlais.

Trip Ysgol Sul o Rhos-y-bol i'r Rhyl, *c*. 1935.

Ydw i'n Gymro? Ydw i'n Brydeiniwr? Ydw i'n Ewropead? Ydw i'n gymysg oll i gyd? Ar ddiwedd yr ugeinfed ganrif mae hi cyn anodded, os nad anos, i gael ateb i'r cwestiwn 'pwy ydan ni?' nag y buodd hi erioed. Ydy sefydlu'r Cynulliad wedi gwneud y syniad o fod yn Gymro yn fwy deniadol? Ydy grym Prydeindod wedi gwanio wrth i Loegr gilio o'i hymerodraeth a cholli mymryn o'i gafael ar Gymru a'r Alban? Ydan ni i gyd yn Ewropeaid doed a ddelo – neu a ydy dau ryfel byd yn dal i liwio'n hagwedd ni tuag at ein cefndryd cyfandirol?

Ystyriwch iaith ar ben hyn oll ac mae'r llun yn fwy lliwgar fyth. Erbyn hyn mae yna Gymry Cymraeg a'u rhieni o Wlad Thai a Singapore, mae yna Saeson Cymraeg eu hiaith a Chymry pybyr Saesneg eu hiaith. Sut mae'r gwerinwr traddodiadol o Gymro yn gweld ei hun yn perthyn i'r Cymry hyn?

Rydym yn byw mewn byd mwy aflonydd nag erioed o'r blaen. Mae unigolion sydd â'u teuluoedd wedi byw ar yr un cilcyn o ddaear ers cenedlaethau yn cael eu hunain wedi eu hynysu mewn cymuned ddieithr. Ar ôl yr Ail Ryfel Byd roedd chwarter y rhai a ystyriai eu hunain yn Gymry, yn byw yn Lloegr. Yn ôl cyfrifiad 1981 roedd 9% o boblogaeth Prydain, bron i bum miliwn o bobl, wedi symud yn ystod y flwyddyn honno. Mae gwead cymdeithas wedi newid yn syfrdanol dros y degawdau diwethaf 'ma – ydy hyn er gwell neu er gwaeth?

I bwy ydan ni'n perthyn? Dyma rai atebion.

RAJ

Ewrop!

Ewrop? *Rogues!* Ni enillodd y rhyfel. *We won the war but lost the peace.*

Sylvia Johnson (80), Tal-y-bont.

Ewrop? Na!

Cymraes ydw i yn bendant a dwi am i'r Gymraeg a Chymru aros yn fyw ac i ddatblygu yn uned ar ei phen ei hun yn hytrach nag yn gysgod i gornel fach o Lloegr. Mae'n bwysig i mi fod Cymru'n datblygu. Dyna pam dwi'n falch iawn o weld y Cynulliad – mae o'n gam mawr ymlaen. Ond mae'n haws gen i feddwl amdanaf fy hun fel Prydeinwraig nag Ewropead. Dwi ishio i Brydain fod ar wahân i Ewrop. Er mod i wedi pleidleisio o blaid bod yn rhan o Ewrop, oherwydd mod i ddim yn ei ddeall o, tae 'na bleidlais eto fyddwn i'n erbyn.

Marlis Jones (61), Llanbryn-mair.

Ewrop?

Mor belled a mae cael rheolaeth o Brussels dyw e ddim lot gwahanol i gael rheolaeth o Lloeger yw e? Ma' nhw wedi rheoli ni ar hyd y blynydde – smo ni'n weld e mor od i fynd i Brussels a ma' nhw. Mae'r Saeson yn ymladd nawr yn ei erbyn e achos ma' nhw'n colli sofraniaeth, smo ni'n colli dim, smo ni wedi gael e ers blynydde.

Rowena Snowdon (83), Rhyd-y-fro.

Tyddynnod yn ardal Llanrug, 1978.

'Mamm-Gozh' a 'Tad-Kozh', mam-gu a tad-cu Llydaw, 1975.

Cymro, Llydawr, Ewropead

Sai'n lico cyfri'n hunan fel Prydeiniwr. Dwi'n credu'n gryf taw Cymro wyf i yn ogystal â Llydawr gan fod mam yn dod o Lydaw, a dyna lle mae'r elfen Ewropeaidd yn dod i fewn. Dwi'n teimlo bod fi'n rhan o Ewrop cyn pawb arall achos bod hanner fy nheulu i dros y cyfandir ta beth. A dweud y gwir dwi'n ffili disgwyl nes bod Prydain yn torri lan. Dwi'n credu bod Ewrop yn bwysig hefyd. Dwi o blaid yr arian sengl. Dwi'n credu y bydd e o les i bawb. Sai'n cyd-fynd â sofraniaeth a'r teulu breninol ym Mhrydain.

Aneurin Karadog (17), Ynys y Bwl.

Yr Ymerodraeth Brydeinig

I mi mae rhywbeth ffug iawn yn y syniad o Brydeindod. Dyw'r peth ddim yn gwneud llawer o synnwyr i mi a mae'n rhywbeth rwy'n siwr sy'n gysylltiedig ag ymerodraeth yn fwy na dim.

Patrick Thomas (47), Brechfa.

Mynd dan blu'r Brown Owl ...

Pan o'n i'n ferch fach o'n i'n perthyn i'r Brownies ac un o'r pethe mae'r Brownies yn wneud yw tyngu llw o ffyddlondeb i'r mudiad a'r Frenhines. Dyma fi'n penderfynu yn saith neu wyth oed nad o'n i ddim yn mynd i dyngu llw i frenhines gwlad estron mwyach. Dyma Brown Owl, sef y pennaeth ar y pryd, yn galw fi lan ar y llwyfan ac yn tynnu'r *badges* oddi ar fy iwnifform i nes bod fi'n garpie i gyd yn mynd gartre. O'dd fy nhad yn wyllt, 'beth wyt ti wedi wneud i dy

ddillad y tro hyn?'. Dyma fy chwaer hŷn yn dod yn ôl ac yn dweud yr hanes a dyma nhad yn fy llongyfarch i am fod yn ferch fach mor *sensible* ar oedran mor ifanc. Es i mlaen i bethe gwell wedyn, ymunes i ag aelwyd yr Urdd!

Siân Thomas (49), Castell y Rhingyll.

Ar y ffin

Mae yna lot o bobl yn dod i aros ar y ffin mewn carafannau a phethau, dyna lle mae pobl yn mynd i symud gynta. Mae 'na lot o Saesneg 'na. Dwi'n gweld y ffin yn fflyffi iawn. Does dim ffin bendant. Fatha Croesoswallt – mae lot o bobl Cymraeg yn byw yn Croesoswallt. Oedd ysgol ni reit Seisnigaidd ac o'n i'n teimlo dan tipyn o bwysau mewn gwirionedd i neud yr *issue* Cymraeg lot cryfach nag ydio. Dwi ishio gneud i bobl sylweddoli mor dda ydio.

Heledd Jones (21), Dolannog/Caerdydd

Cymru?

Dysgu am Gymru yn yr ysgol, yn Llangollen?! Bron dim byd. Nes i hanes yn blwyddyn un, dau a tri. Dwi'n cofio clywed stori am bethau fel Plas Newydd, y tŷ mawr yn Llangollen, a Castell Dinas Brân wrth gwrs, ond oedd e fwy fel mytholeg na hanes go iawn, doedd dim pwyslais ar hanes Cymru fel hanes a doedd dim pwyslais ar yr iaith o gwbl. Nes i ddim Cymraeg ar ôl *form two*, roedd rhaid dewis rhwng Cymraeg a *Computer Studies*.

Nick Davies (32), Llangrannog.

Tri cymeriad. Llun trwy garedigrwydd y Llyfrgell Genedlaethol.

Cymru Lân Gwlad y Gân

Ma' rhai ffordd hyn sy'n gwybod tipyn bach yn meddwl am y *Pembrokeshire Coast National Park* pan ma' nhw'n meddwl am Gymru, yr adar a'r planhigion a phopeth yn hyfryd. Fydd rhai eraill wedyn yn dweud, '*ahh that's where they speak that funny language inn'it? They're rude.*'. Wedyn ma' rhai'n meddwl am hen ffatrïoedd a codi glo a lot ddim yn gwybod dim. Ond os ych chi'n siarad ma' nhw'n dysgu. Wel, beth mae pobl o Abertawe yn gwybod am Basildon?

Ma' rhai wedi bod yn atgas tuag ata'i. Ma'n anodd gweithio mas pam fod hynny'n digwydd. Falle bod rhywun wedi cael athro neu athrawes cas o Gymru, a rhai sydd jyst ddim yn gwybod. Un arall wedyn o'dd yn gweithio gyda fi mewn coleg yn dweud na alla hi byth fod wedi *voto* dros Neil Kinnock achos ei fod e'n Gymro. O'dd

hi jyst ddim wedi meddwl mod i'n dod o Gymru.

Margaret Jones (57), Basildon

Cymreictod a Welshness

Dwi'n credu bod na wahanieth rhwng 'Cymreictod' a '*Welshness*'. Mae yna lawer o ffrindie gyda fi sy'n Gymry di-Gymraeg a dwi ddim yn gweud mod i'n well Cymro na nhw. Rhywbeth dwi wedi'i dysgu fel oedolyn yw'r Gymraeg. Ond wedi dweud hynny dwi'n credu fod yna elfen hanfodol o Gymreictod sydd ynghlwm â'r iaith ac os nad oes modd i fynd i mewn i'r elfen yna, wel, wedyn mae rhywbeth yn eisiau.

Patrick Thomas (47), Brechfa.

Cymry o bob lliw a llun

Dwi'n Gymro digon pybyr. Dim Cymro Dylan Thomas a Ron Davies a phobl fel'na. *Welshmen* 'di rheina, perthyn dim byd i fy mhobol i. Ma' nhw'n llwyth hollol wahanol i fy mhobol i. Ma'r bobol Gymraeg bybyr 'ma yn hollol wahanol i fy mhobol i hefyd, hollol wahanol i'r hen werinwyr. Ond ma'n siwr gyn i fod raid iddyn nhw fod i oroesi yn yr oes sydd ohoni, ond ma' nhw'n wahanol. Tydi eu hiaith nhw ddim run fath a f'un i chwaith. Mae'r Cymry Cymraeg 'ma yn cael trafferthion fy neall i weithia.

John Ellis Williams (74), Llanrug.

Cymro Cymraeg a Saesnes Gymraeg

Dwi'n teimlo mod i wedi dod yn Gymro ond wedi dod yn Gymro oherwydd roedd fy ngwreiddie i yng Nghymru yn barod. Wedi ail ddarganfod rhywbeth oedd wedi mynd ar goll ydw i. Mae'r wraig yn dod o Lunden. Mae hi wedi dysgu'r iaith ac eto dwi ddim yn credu y bydde hi'n dweud ei bod hi wedi dewis bod yn Gymraes. Saesnes yw hi o hyd. Saesnes Gymraeg, ond Saesnes.

Patrick Thomas (47), Brechfa.

Un o'r werin ...

Gwerinwr ydw i. Gwerinwr go iawn. Boi'r filltir sgwâr. Un o hogia'r chwaral. Y gollad fwya i'r ardal yma o'dd colli'r chwaral.

John Ellis Morris (85), Deiniolen.

Co dre ia?

Cofi dre ydw i ia, *proud to be one.* Dwi'n mynd i bashio *exams* ia, *so*

Bwthyn ym Mhen-bre.

Cymdeithas y chwarelwyr.

dwi'n mynd i disgrifio fy hun fel rhywun sydd wedi gweithio yn yr ysgol ac wedi *gainio qualifications* a sy'n mynd i drio allan yn y byd mawr pan dwi 'di gadal ysgol.

Kevin Bohana (16), Caernarfon.

Fi gyn bag fi

Mae acenion ysgolion Cymraeg yn bod ond smo fe mor wael â ma' fe ar 'Pam Fi Duw' er enghraifft. Ond mae'r acen yn bod. Mae ishie symleiddio'r Gymraeg. Mae ishie mwy o eirie syml y mae pawb yn medru ddweud. Mae trio cael nhw i siarad Cymraeg yn un peth ond mae mynd un cam ymhellach a'u cael nhw i siarad Cymraeg cywir hyd yn oed yn anoddach dwi'n teimlo.

Aneurin Karadog (17), Ynys y Bwl.

Cymrâg y Maerdy

Ma' rhai o'r hen bobl yn siarad Cymrâg ac ma' rhywfaint o Gymrâg 'da'r plant sydd wedi bod yn yr ysgolion Cymrâg – ond byth yn defnyddio fe. Wy'n nabod rhai o'r plant 'ma ac os wy'n gweld nhw ar y stryd wy'n siarad yn Gymrâg, a chi'n gallu gweld amser chi'n siarad, fel tae nhw'n tynnu nôl a meddwl, 'beth ma' fe'n gweud?'. 'Dyn nhw ddim yn disgwyl clywed Cymrâg tu fas i'r ysgol.

Brenig Jones (79), Maerdy.

Cymraeg cywir

Feiddien i ddim siarad Saesneg ar yr aelwyd pan o'n i'n blentyn, ond Saesneg o'n i'n siarad allan ar y stryd, Saesneg yn yr ysgol. Yn y capel fi o'dd yr unig blentyn o'dd yn siarad Cymraeg. Es

i'n swil iawn a teimlo fod hyn yn
gwneud fi mor wahanol o'n i ishio
cuddio mod i'n siarad Cymraeg. Dim
ond fi o'dd yn medru darllen o'r Beibl
yn Gymraeg. O'n i'n cael fy ngorfodi i
wneud darlleniad yn Gymrag a dwi'n
cofio gwneud camgymeriade yn
bwrpasol achos ro'n i'n teimlo cywilydd
a swilder fod hyn yn gwneud i mi
deimlo mor wahanol i gweddill y plant.
Des i allan ohoni trwy ddarllen y geirie
yn anghywir, o'n i'n gwybod beth o'n i'n
wneud.

Rhianedd Bowen (60), Cricieth.

Capel Cymraeg

Dwi'n meddwl lot am fy nghrefydd.
Dwi'n lico meddwl bod fi'n Gristion
ond nid yn yr ystyr mod i'n mynychu
capel, jyst rywun sy'n helpu cyd-ddyn.
O'dd y capel yn bwysig i mi achos bod y
Gymraeg ore i gael yn y Beibl ac mae
Cymraeg o safon fel'na yn bwysig i fi.
Dwi'n trio ffeindo mas lle 'yf i ar y foment.
O'dd dad yn arfer dweud fod e ddim ond
yn hala ni i'r capel pan o'n i'n fach fel nad
oedden ni ddim yn cael troedigaeth pan
oedden ni'n henach.

Aneurin Karadog (17), Ynys y Bwl.

Cymru a Gwlad Thai

Dwi'n hanner Cymraes a hanner Thai,
mae'n anodd iawn jyst gosod fi mewn
pidgeon hole. Dwi'n sicr iawn am fy
hunaniaeth – dwi'n Gymraes o flaen
popeth arall. Wrth gwrs fy mod i'n Thai
hefyd ond dwi'n byw mewn cymuned lle
dwi ddim yn meddwl amdano fe, does dim

agwedd hiliol tuag ata fi yn Caerdydd.
Weithie mae pobl yn synnu fy mod i'n
gallu siarad Cymraeg ond dwi jyst yn
anwybyddu hynny nawr.

Dwi'n dod o deulu eitha aristocratic yn
Bangkok. Pan dwi yna mae gen i *role* i'w
chware. Mae gyda ni *chauffeur* a *maids* a
mae disgwyl i ni edrych yn neis a gwisgo
dillad neis ac ymddwyn fel *lady,* mae o'n
hollol wahanol i fan hyn.

Catryn Ramasut (23), Caerdydd.

Cymysgu byd

Ma' mhlant i yn hoffi crempog a
teisen gri felly dwi'n defnyddio fy
griddle o Singapore i wneud nhw iddyn
nhw!

Sheela Hughes (44), Llanfyllin.

Brenig Jones a'i fab Owen.

Catryn Ramasut.

Electric Mountain

Mynydd Elidir. Be 'di enw fo
heddiw? *Electric Mountain*, achos
bod nhw'n cynhyrchu trydan yno fo.

John Ellis Williams (74), Llanrug.

Bradwyr

Mae pobl ofn gadael Cymru a cael
eu labelu fel bradwyr sy' ddim yn
caru'u gwlad. Mae pobl yn ofni gadael
achos ma' nhw ofn colli popeth sydd 'da
nhw fan hyn. Dwi ddim yn ffeindio
hynny achos dwi'n hoffi mynd i ffwrdd
a'r peth gore yw dod nôl. Mae angen i
Caerdydd fel dinas a Cymru gyfan
edrych mwy tua'r dyfodol. Mae cymaint
o greadigrwydd yma a talent.

Catryn Ramasut (23), Caerdydd.

Y filltir sgwâr

Er cof am blant y cwm

Ma' plant Cefn Llydan i gyd wedi marw, ma' plant Tre Cae wedi marw ond dau, ma' plant Bwlch Gwyn wedi marw ond fi a mrawd, ma'r ddau o'dd yn Llystyn wedi marw a ma' plant Maes y Groes wedi marw i gyd ond dau.

Caradog Jones (82), Brechfa.

Cymdeithas rhy glòs – weithie!

O'dd 'na lawer o bobl yn arfer ymweld â'i gilydd a helpu'i gilydd, ond cofiwch falle bod e ddim yn fantes o hyd. Dwi'n cofio'r dywediad hyn gyda mam-gu am ryw berson fydde'n ôl a bla'n yn eich tŷ chi o hyd – 'mae e 'ma dau pen dydd a'i genol e!'.

Dilwyn Davies (71), Gors-las.

Margaret Jones, Hafod Owen, Cwm Hermon, yn ei llaethdy, 1953. Llun Geoff Charles, trwy garedigrwydd y Llyfrgell Genedlaethol.

O gymunedau o dyddynnod gwasgaredig i stadau o gannoedd o dai, o gymunedau myglyd o glòs i dai oer ac unig, mae natur y gymdeithas yr ydym yn byw ynddi wedi newid yn aruthrol yn ystod y ganrif hon. Ar ddechrau'r ganrif roedd gan berchennog Stad y Faenol ddigon o rym i orfodi dyn i adael y wlad, ar ddiwedd y ganrif mae Stad Cefn Amwlch yn dal yn rym mewn pentrefi fel Tudweiliog a'r tenantiaid yn dal i dalu eu rhent i reolwr y Stad bob chwe mis.

Yn ystod y ganrif gwnaethpwyd gwaith aruthrol i ennill tir i dyfu cnydau. Mae pobl wedi gweld tir gwlyb a thir diffaith yn dod yn dir ffrwythlon. Mae'r un bobl, ar ddiwedd y ganrif, yn gweld yr un tir yn llithro yn ôl i afael y gors a'r mynydd wrth i'r diwydiant amaethyddol wingo. Wrth droi i ben arall y rhod gwelwyd pyllau glo a thipiau yn glasu wrth i dir gael ei adennill o grafangau'r diwydiannau trwm. Ond mae'r naill sefyllfa a'r llall yn arwydd o ddiweithdra, yn golygu diboblogi ac mae allfudo ar y naill law yn creu gwagle posibl ar gyfer mewnlifiad o bobl tra gwahanol ar y llaw arall.

Oedd yr hafau ers talwm yn gynhesach a'r gaeafau yn aeafau go iawn? Oedd yr afonydd yn lanach a'r glaswellt yn lasach? Neu a yw'r rhain yn olygfeydd a welir drwy sbectolau heulog henaint? Yn sicr rydym wedi symud o oes lle nad oedd dim i'w wastraffu i oes lle mai gwastraff yw canlyniad pob gweithgaredd. A oes diben ailgylchu rhyw fymryn o bapur a chodi ambell felin wynt pan fo bygythiad trychineb fel Chernobyl mor anferth?

Pan fo strydoedd a stadau yn ddim mwy na gwlâu i gysgu ynddyn nhw cyn codi i fynd i'r gwaith hanner can milltir i ffwrdd a lladron yn gallu ymosod ar bobl am y pared a'u cymdogion – a yw'r syniad o gymuned wedi goroesi'r ugeinfed ganrif? Os na fyddwn yn fwy gofalus o'n hamgylchedd a fydd y byd yn goroesi'r unfed ganrif ar hugain?

Dyma farn y rhai a holwyd.

RAJ

Tŷ ni

Taswn i'n agor drws ffrynt, ma' 'na grisia ar y chwith. Reit yn ymyl y drws ar y dde ma' drws gegin lle ma' mam yn cwcio. Wedyn y stafell fyw lle ma' brawd mawr fi yn gwitsiad *television* ac yn meddwl ma' fo bia'r *television* efo'r *remote control* fatha lord ar gadar. Ma'r *bathroom* ar y chwith wrth drws cefn, fan'na ma' Lisa ma'n siwr yn mwydro efo'i gwalld a'i *make up* a'i *lipstick*, dim ond hynna ma' hi'n neud. Ma' gyn i frawd bach, a ma'n siwr y bydd o yn y *kitchen* efo'i ben yn y cwpwr'. Mae o'n byta te am bump o'r gloch ac yn chwilio am swpar *half past five!* A fi, y *black sheep*. Dwi byth yn tŷ. Dwi'n byta te ia, newid ia, a mynd o 'na. Gynno chwaer fi *room* 'i hun. Gynno Aaron, brawd mawr fi, *room* i hun a ma' fi a brawd bach fi'n rhannu.

Kevin Bohana (16), Caernarfon.

A'r ddaear yn wag …

Ges i ngeni yn Diffwys, Tregaron – fferm fynydd. O'dd nhad yn bugeila i'r perchennog ond yn y blynyddoedd ola o'dd nhad yn bugeila gwerthwyd y ddaear i'r Comisiwn Coedwigaeth. Wy'n cofio'n iawn y diwrnod ca'th y defed eu clirio i ffwrdd o'r ddaear, o'dd e'n drist iawn i ni weld. Wy' ddim yn cofio f'oedran i ar y pryd ond o'n i tua'r pymtheg oed 'ma a o'dd y defed, o'dd wedi bod yn fywyd i ni, yn cael eu hel i gyd at 'i gilydd a lorïau yn mynd â nhw o Diffwys – o'n i'n teimlo reit drist y diwrnod hynny fod y ddaear yn wag.

Martha Morgan (54), Tregaron.

Cerrig

Ni dros fil o droedfeddi uwchlaw'r môr lan fan hyn. Mae e'n dir digon

Martha Morgan a'i thad, 1958.

Bwthyn gwyngalchog. Llun trwy garedigrwydd y Llyfrgell Genedlaethol.

caled. Lle caregog iawn yw hwn, mae 'na filoedd ar filoedd o gerrig 'ma. Ni wedi cliro hanner ucha'r fferm o gerrig mawr, mawr – tua dwy, dair tunnell yr un. Dynon ni rheiny mas yn y chwedege i gael ail ennill y tir nôl. 'Ngofid i nawr yw ei fod e'n mynd yn ôl yn rostir 'to achos bod ffarmo yn mynd sha lawr.

Rowena Snowdon (83), Rhyd-y-fro.

Hen dŷ fferm

Mae hwn yn hen dŷ fferm. Allwch chi weud wrth y bime sy'n fan'na. Chi'n gweld lled y plancie? Chewch chi ddim mo'r lled yna'n amal. Mae e'n mynd yn ôl rai canrifoedd ond does dim cownt pendant 'da ni achos bod Hitler wedi bomo'r *offices* i gyd yn Abertawe amser rhyfel, ond mae e'n hen. Hwn

oedd yr *half way house* i'r *drovers*. O'n nhw'n dod â'r creaduried o Llandeilo, cerdded nhw grôs i fan hyn, cael sbel fach fan hyn a'u cerdded nhw wedyn i Gastell-nedd. Deuddeg milltir o Landeilo a deuddeg milltir o fan hyn i Gastell-nedd.

Fuodd hen *dramps* bach yn dod heibio amser daethon ni yma gynta yn 1937, o'n nhw'n dod yn amal. O'n nhw'n cysgu wedi 'ny ar y dowlod yma, dowlod y beudy, ac *off* â nhw diwrnod wedyn. Ond yr ofan oedd arna' i oedd fod *matches* 'da nhw a o'dd gwair 'da fi ar y dowlod. Y dowlod yw'r *building* sydd uwchben y beudy. Mae sgubor 'da ni pen hyn, wedi 'ny mae'r stabal fawr, mae'r beudy, y stabal fach a'r cartws draw. Mae'r dowlod yn mynd grôs o'r sgubor dros ben y beudy a'r ddwy stabal.

Rowena Snowdon (83), Rhyd-y-fro.

Ble nesa?

Pan fydda i yn ymddeol o'r Offeriadaeth dwi'n colli'r tŷ. Mae hyn yn wir hefyd os bydd rhywbeth yn digwydd i mi, mae'r teulu yn colli'r tŷ. Ma' nhw'n cael chwech wythnos i symud mas. Mae hyn wrth gwrs yn ofid sydd wastad yng nghefn y meddwl. Mae gyda'r Eglwys yng Nghymru dai i gael, byngalos ar gyfer offeiriadon sydd wedi ymddeol, neu falle y bydden ni'n trio cael byngalo gyda'r cyngor yn y cylch yma.

Patrick Thomas (47), Brechfa.

Cymuned a gwaith

Ma'r gymuned wedi chwalu. Pan o'dd y chwaral yn mynd, un gymuned fawr oedd hi. Rwan ma' nhw'n mynd i bob man. Dydi teithio deugian milltir i'r gwaith ddim byd heddiw. Ond pan oeddach chi ddim ond picio i fyny i'r chwaral, hanner awr, dri chwarter, o waith cerddad trwy bob tywydd, saith wsnos weithia heb weld y ffordd dim ond cerddad trwy'r caea, ochr ucha i'r lluwchfeydd, oeddach chi'n un gymuned fawr. Pan es i i'r chwaral oedd yna dros ddwy fil yno i ddechra.

John Ellis Morris (85), Deiniolen.

Gwaith

Mae pentre Brechfa wedi tyfu oherwydd y coedwigo. Pan wy'n edrych o amgylch y plwyfi mae plwy Llanfihangel Rhos-y-Corn, plwyf y mynydd, wedi cael ei ddiboblogi oherwydd y coedwigo, ond wedyn mae Brechfa wedi tyfu o achos 'ny. Roedd rhai yn gorfod symud o'r ardal a mae rhai yn dal i deimlo'n chwerw iawn.

Gofaint pwll glo'r Cambrian, 1908.

Ond wedi dweud hynny roedd rhai o'r gweision ffermydd fyddai wedi colli eu swyddi oherwydd mecaneiddio yn gallu dal ymlaen yn yr ardal achos o'n nhw'n gallu cael gwaith yn y coed. Mae'n anodd iawn dweud.

Patrick Thomas (47), Brechfa.

Cymuned wrth gymuned

Mae'n syndod pa mor ynysig o'dd pob cymuned yn y pedwardege. O'ch chi'n byw yn ych cymuned ac hyd yn oed o fewn y gymuned yna fydden ni fel *gangs* o blant yn ymladd *gang* o stryd arall. Ma'r gwahaniaethau yna ynddon ni. Dwi'n cofio mynd i weld coelcerth stryd arall ar noson tân gwyllt a chael eich erlid o 'na achos bo chi ddim yn perthyn.

Rhianedd Bowen (60), Cricieth.

Ghetto

Mae tua 300 o dai i gyd yn y stad. Mae'r cwmni gododd y tai wedi mynd i'r wal erbyn hyn. Na'i gyd sydd yma yw tai, *ghetto* ble mae pawb yn dod i fyw, wedyn mynd mas o 'ma. Mae'n wag yn y dydd ac yn llenwi eto yn y nos. Sai'n credu eich bod chi'n gallu galw'r lle'n gymuned.

Aneurin Karadog (17), Ynys y Bwl.

Parti stryd yn y Rhondda, *Festival of Britain,* 1951.

Garddwyr Plas Cefn Amwlch.

Chwalu ffermydd

Ma'r Saeson sy'n dod 'ma i'r ffermydd, ma' digon o arian 'da nhw i allu prynu ffermydd. Dyw Cymry ddim yn gallu, does dim digon o arian 'da nhw. Beth ma' nhw'n neud yw rhento'r tir mas a byw yn y tŷ – na'r fferm yna wedi sbwylio.

Caradog Jones (82), Brechfa.

Tenantiaid Plas Cefn Amwlch

Dan ni'n lwcus mewn ffordd fod y stad gynon ni. Heblaw am y tai cyngor a'r tai newydd nhw bia' bob man sy'n y pentra 'ma – y ffermydd, y *golfcourse*, glan môr Portin-llaen, bob un dim. Y peth ydi ma'n rhaid i ti witsiad i rywun bopio'u clogs cyn cael un o'u tai nhw. Ma' 'na restr aros. Fuo raid i mi fynd i'r Plas fy hun. Ges i symans i siarad efo'r Captan, fatha ma' nhw'n 'i alw fo wrth dynnu 'u hetia iddo fo. Ond ma' nhw'n bobl glen ofnadwy. Hen bres – ma' nhw'n gleniach na'r *nouveux riche* 'ma. Tŷ gynyn nhw ges i ar ôl ryw hen foi fuo farw yn 'i wely. Un o'u tai nhw sy' gyn fy nau frawd arall i hefyd. Bob hanner blwyddyn dan ni'n talu rent yn y Lion. Mae'r *estate manager* yn dod i lawr a pawb yn mynd efo'i arian neu'i siec a pan mae o'n dwad i mewn ti'n dal i weld rhei o'r hen ffermwyr yn tynnu 'u capia ac yn rhoid nhw yn eu llaw a'i alw fo'n 'syr' a thallu. Mae'r rhan fwya' ohonyn nhw wedi cael eu magu ar y stad ers cenedlaethau.

Selwyn Jones (38), Tudweiliog.

Plas Pren

Ma' lle dan ni'n alw yn Plas Pren wedi diflannu, Gwylfa Hiraethog ydi'r enw arall sydd arno fo, ond Plas Pren oeddan ni'n ei alw fo. Wrth Bryn Trillyn o'dd o. *Shooting box* oeddan nhw'n ei alw fo yn Saesneg ond o'dd o'n andros o dŷ mawr. O'n nhw'n deud fod yr hen Blas Pren wedi mynd ar dân. Ro'dd y dyn ddaru brynu o yn dod yma i saethu *grouse* yn yr haf. Ma' 'na lot o'r cerrig wrth ben y dryse wedi ca'l eu cario o dramor. Pan o'dd yna ddigonedd o *grouse* oddan nhw'n dod yna trwy'r ha'. Glywes i nhad yng nghyfraith yn dweud fod Lloyd George wedi bod yno'n saethu efo Lord Davenport.

Ma' nhw'n dal i saethu ond dim byd fel oeddan nhw, hyd yn oed ers pan dwi'n cofio. Oeddan ni'n mynd fel teulu, y wraig a'r ddau fab hyna' a finna', i guro *grouse* ym mis Awst. Mynd bob dydd Sadwrn am bedair neu bump wythnos. Cyn hynny, cyn y rhyfel, oeddan nhw'n gwneud tri neu bedwar diwrnod yr wythnos a llawer iawn o ffermwyr yn mynd. Dwi'n cofio nhad yng nghyfraith yn mynd efo merlen a be o'dd o'n alw'n *paniers* ar gefn y ferlen i gario'r *grouse* 'ma. O'dd 'na ffordd i fyny at Blas Pren ac fe fyddan nhw'n gosod y *grouse* oeddan nhw 'di saethu ar ddwy ochr y ffordd erbyn doe y bobl fawr 'ma adra o'r *shoot*, iddyn nhw gael meddwl eu hunen!

Emlyn Evans (69), Llansannan.

Cyfnewid

O'dd nhad yn cyfnewid amser cneifo. O'dd pob fferm yn helpu'i gilydd. Os o'dd bugeilied y mynydd i gyd yn dod i Diffwys i helpu nhad i gneifo o'dd raid iddo fe fynd yn ôl yn ei dro i Nant Stalwen, Maes Glas, Dôl Goch, Nant Llwyd, Nant y Ma'n, Bron Helen.

Martha Morgan (54), Tregaron.

Rhieni Martha Morgan yn cneifio, 1955.

Y llythyr olaf i'w gludo i Ddiffwys gan bostmon ar gefn merlen, 1955.

Y llythyr ola'

Wy'n cofio'r postmon yn mynd i fyny ar gefen y ceffyl am y tro ola'. Teirgwaith yr wythnos fydde'r post yn dod pan o'n ni'n blant. Wy'n cofio Dai Jones, Glanrafon Ddu, yn mynd ar gefen ei ferlen trwy'r mynydd i gyd.

Martha Morgan (54), Tregaron.

Node defed

Mae'r nod yn mynd 'da'r fferm. Mae'r nod yna yn bendant, all neb fynd a fe oddi wrthoch chi. Mae ambell un yn dod ata'i nawr sydd â lle, a dim nod wedi bod yna, wedi 'ny fi'n bathu nod iddyn nhw a fi'n dodi fe yn y llyfr. Mae node i bob fferm ar Mynydd y Gwair.

Rowena Snowdon (83), Rhyd-y-fro.

Brwydr y Cwm

Mae hwn yn gwm gwastad iawn. Pa ryfedd bod y Bwrdd Dŵr am 'i foddi fe? Saith gan erw fydde maint y llyn pe bawn nhw wedi boddi'r lle. Fe barodd y frwydr 'ny o 1963 hyd 1970.

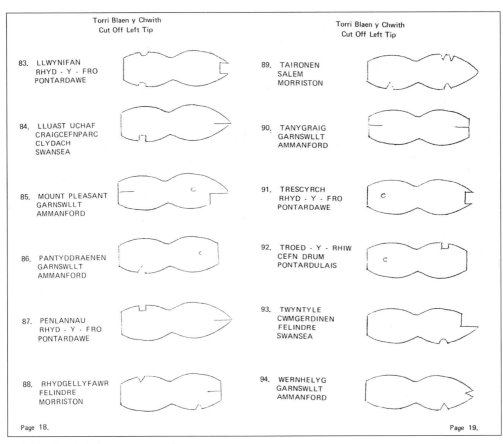

O lyfr nodau defaid Rowena Snowdon.

Buon ni'n cynnal amryw gyfarfodydd yn Aberhonddu gyda'r Cyngor Sir, nhw o'dd yn trafod y frwydr pryd 'ny. Fe fu Cymdeithas yr Iaith a'r CLA a'r NFU a'r BBC a'r teledu yn tynnu lluniau. Radeg hynny hefyd o'n ni wedi trefnu seiren fyny yn y cwm. Pan fydde'r Bwrdd Dŵr yn talu ymweliad â'r Cwm bydden ni'n canu'r seiren. Y tro diwethaf iddyn nhw ddod yma o'dd yn 1970 a'r seiren yn canu ym mlaen y cwm. Ddaethon nhw i mewn i'r cwm am saith o'r gloch y bore, o'n i heb godi o'r gwely, o'dd hi tipyn o sioc i mi weld y Bwrdd Dŵr a'u paraffenelia yn dod lan yr hewl 'ma. Yn fuan wedi 'ny fe dda'th y polis. O'dd cymaint o brotestio trwy'r dydd yn y diwedd aethon nhw sha thre.

Jonathan Davies (84), Pontsenni.

Ffydd

Mae 'na fyd o wahaniaeth rhwng byw yn y wlad a byw yn y dre. Pan dach chi'n byw yn y wlad rhaid i chi fod yn gymdogol – rhaid iddi fod felly, fedar hi ddim bod fel arall. Rhaid i chi fod â ffydd yn eich cymdogion, pawb drosto'i hun ydi yn y dref, yn y wlad ma' pawb yn dibynnu ar ei gilydd.

Emlyn Evans (69), Llansannan.

Cymdogaeth

Ma' nhad a mam yn byw ar stad yn y dre ac ma' pobl yr un mor gymdogol a ma' pobl y wlad. Ond ma' rhai pobl yn symud i'r wlad o'r dre ishio bod ar bene eu hunen. Fedra'i ddim deall hynny, dydi pobl y wlad ddim ishio bod yn fusneslyd dim ond bod yno pan fo angen.

Gwilym Davies (54), Waun, Nantglyn.

Cynllunio ar gyfer y gymuned

Dwi'n meddwl bod ishio bod yn eitha gofalus efo'r adeiladu 'ma. Nôl yn y saithdege a'r wythdege roedd y *speculators* 'ma yn dod i mewn a'r cwbwl oedden nhw ishio oedd gwneud arian, dim creu cymdeithas. O'n nhw'n dod, prynu tir, adeiladu swp o dai mewn chydig iawn o amser, cael llawer o bobl i mewn a difa'r pentrefi achos nad oedd y bobl yna ddim yn toddi i mewn i'r gymdeithas. Ma' cynllunio yn mynd yn ddyfnach na tŷ, ma'n rhaid i gynllunwyr edrych i mewn i gefndir pentre a chymdeithas i neud yn siwr fod yna falans a gneud yn siwr nad ydyn nhw'n cael eu boddi gyn dai a stadau mawr hyll.

Gwilym Davies (54), Waun, Nantglyn.

Car Parks

Car parks 'di dre 'ma i gyd. Bob man yn dre 'ma car parks, car parks, 'sdim byd arall yma. Ma' polís yn cwyno fod gormod o plant bach yn chwara' o gwmpas rownd y dre. Gynon nhw ddigon o bres i godi *multi storey car parks, shopping mall, cameras.* Be 'di hynna i'r plant? 'Di hynna ddim byd i'r plant. Ma' hynna yn mynd i neud nhw yn waeth. Ma' lot 'di newid yn dre 'ma mewn un blwyddyn, y blwyddyn dwytha, ers ma'r *multi storey car parks* yno, does 'na neb yn mynd i dre dim mwy. Ma' 'na tua ugian ohona ni 'na bob nos, o'r blaen o'dd 'na tua trigian ohona ni. Ma' bob man wedi mynd yn ddistaw, does 'na neb yn dre 'i hun i ni yn nos dyna sy'n gneud y lle mor *boring,* mor *depressing.*

Dylan Roberts (14) a Kevin Bohana (16), Caernarfon.

Siopau

O'dd digon o siope yn arfer bod yn Pen-y-gros, do'dd dim ishie i chi fynd o'r pentre am ddim. O'dd pedwar neu bump bwtsiwr, os o'ch chi moyn dillad a sgidie o'dd siope felly i ga'l. Ro'dd dau *ironmonger* i ga'l 'ma, caffi da, dwy siop *chips,* dau *billiard room* a *gymnasium* da i ddysgu bocso. Sdim un siop fwtsiwr yma erbyn hyn, yr unig siop sydd 'da ni yn y pentre nawr yw'r *post office.* Sdim un siop ddillad 'ma, sdim siop i werthu ffrwythe na dim. Mae'n wag, mae'r siope 'di cau i gyd oherwydd y siop fawr yn Crosshands.

David Giraldus Cambrensis Morgan (77), Pen-y-groes, Llanelli.

Pa Byllau?

Dwi'n credu fod lot o bobl â delwedd ramantaidd o'r cymoedd fel rhywle lle mae 'pobl go iawn' yn byw. Falle eu bod nhw'n cofio'r lle fel lle oedd â pyllau glo ond mae nhw'n anghofio weithie eu bod nhw wedi cau ac mae

29

Stryd y Bont, Pen-y-groes.

rhai pobl ifanc sy'n byw yn y cymoedd ddim hyd yn oed yn gwybod am y pyllau glo erbyn hyn.

Aneurin Karadog (17), Ynys y Bwl.

Little England

Ma' *little England* newydd gyrraedd Tudweiliog, bynglos newydd sbon yn ymyl y Lion, y pyb, a Saeson yn byw ynddyn nhw. Ma' nhw i gyd yn cael eu *gardener's club* yn Lion ar bnawn dydd Iau a thallu. Pan o'n i'n hogyn doedd 'na ddim tai o'r Lion i lawr i'r capal dim ond lôn, Lôn Fawr oeddan ni'n galw hi er na 'di hi ddim mor fawr â hynna, a cloddia drain ac eithin ac ati. Does 'na ddim byd yna erbyn hyn, dim ond tai newydd sbon. Ma' 'na dai yn codi yma ymhob man. Ma' Tai Eryri, sy'n Gymdeithas Tai ar gyfer pobl leol i fod, wedi adeiladu tipyn yn y lle 'ma, ma' nhw'n wag ers jyst i flwyddyn ma'n siwr.

Selwyn Jones (38), Tudweiliog.

Efaciwîs

Mi newidiwyd dipyn ar Bethesda yn ystod amser y rhyfel. Ddaeth 'na fewnlifiad o efaciwîs yna. Fe Seisnigeiddiwyd dipyn ar yr ardal yr adeg hynny. Dwi'n credu mai o Lerpwl oedd y rhan fwya ohonyn nhw'n dwad. Roeddan ni'n chwara efo nhw ac yn straffaglio i siarad Saesneg efo nhw. Dyna ddechra Seisnigeiddio dwi'n credu.

Marlis Jones (61), Llanbryn-mair.

Cwm Clegyrnant

Yn y cwm yma, Cwm Clegyrnant, mewnddyfodiaid ydan ni i gyd. Ni ydi'r unig Gymry sydd yma, mae yna ryw saith, wyth, o deuluoedd eraill sy'n Saeson. Maen nhw i gyd wedi dwad i mewn ar ein holau ni. Dan ni yma ers ryw chwarter canrif neu well. Mae 'na deulu bach yn fferm Clegyrnant, mae 'na blant bach ifanc yna – mae'r bachgen hyna'n saith oed, mae o'n rhugl Gymraeg, mae'i chwaer o'n bump ac mae'i Chymraeg hi'n dda iawn ac mae 'na fabi yna a dan ni mond siarad Cymraeg efo'r babi. Mae'r fam wedi dysgu Cymraeg. Saeson, neu Cymry di-Gymraeg, ydi pawb arall yn y tai i gyd.

Marlis Jones (61), Llanbryn-mair.

Allfudo

Does dim llawer o waith i gael i gadw pobl ifanc yn y gymdeithas. Ni'n disgwyl y bydd y rhan fwyaf o'n pobl ieuanc ni'n mynd o 'ma, ar wahân falle i deuluoedd y ffermydd, ac fel mae pawb yn gwybod dyw sefyllfa y fferm deuluol ddim yn dda iawn ar hyn o bryd. O'n i'n edrych ar bapur yn yr eglwys y diwrnod o'r blaen o'dd yn dangos y bobl ieuanc oedd wedi cymryd rhan mewn drama neu gwrdd plant yn amser fy rhagflaenydd yn y saithdege rhywbryd. Does dim un o'r plant yna yn y pentre erbyn hyn. Y rhai sydd yn cofio yw'r hen bobl ac ar ôl i ni golli y rhai sydd yn eu chwedege, saithdege neu wythdege o'r pentre does dim llawer yn mynd i fod ar ôl i gadw'r cof ymlaen o'r gymdeithas a fu.

Patrick Thomas (47), Brechfa.

Pentref Tudweiliog ar droad y ganrif. Paentiad gan Gwilym Evans Jones, tad Selwyn Jones, Tudweiliog.

Er cof am blant y cwm

Ma' plant Cefn Llydan i gyd wedi marw, ma' plant Tre Cae wedi marw ond dau, ma' plant Bwlch Gwyn wedi marw ond fi a mrawd, ma'r ddau o'dd yn Llystyn wedi marw a ma' plant Maes y Groes wedi marw i gyd ond dau.

Caradog Jones (82), Brechfa.

Mewnfudo

Beth sy'n digwydd erbyn hyn yw fod y gymdeithas yn chwalu. Yn lle fod gyda chi un diwylliant mae sawl is-ddiwylliant yn bodoli yn y gymdeithas. Dyw y rhai sy'n symud i mewn ddim i gyd yr un fath, ma' nhw i gyd o gefndir gwahanol. Falle bod grŵp o bobl wedi ymddeol sydd â diddordebau o'r un fath yn ffurfio un math o is-gymdeithas. Falle bod pobl ifanc o gefndir gwahanol. Mae rhai sydd yn hanner hipïaidd ac yn y blaen. Sy'n golygu bod y gymdeithas wedi mynd yn gymhleth iawn.

Patrick Thomas (47), Brechfa.

Cymuned o fewn cymuned

Dan ni'n tueddu i fod yn gymuned Gymraeg o fewn y gymuned ddwyieithog sy'n Nantglyn. Erbyn hyn ma' 'na gymuned o Saeson sy'n gefnogol i'r Gymraeg, sy'n lecio bod efo'r gymuned Gymraeg, a ma' 'na gymuned o Saesnon sy'n lecio bod ar eu penne eu hunen.

Gwilym Davies (54), Waun, Nantglyn.

Man gwyn ...

Yn Lloegar dwi ishio byw ia. Dwi ddim ishio byw yn Cymru. Be dwi'n feddwl ia, os a'i i Llundan rwan a dechra bywyd yn rwla arall, os na'i ddwad yn ôl i fa'ma bob hyn a hyn fydd o'n well i mi bydd.

Ma' chwaer fi 'di dangos y ffor' i mi. Ma' hi 'di gada'l tua tri blwyddyn yn ôl. O'dd hi ar y dôl a bob dim a ma' hi 'di mynd i lawr i Brighton a 'ma hi ar *job sixteen grand a year a company car*. Ma' hi'n gneud yn dda a dwi'n *proud* ohoni ia, a dwi'n mynd yr un ffor' â hi ia. Ma' 'yncyl fi i fod i ddwad allan o jêl a 'dio ddim yn dwad yn ôl i G'narfon achos eith o yn ôl ar y drygs. Mae o yn mynd lawr i Brighton hefyd i ddechra bywyd newydd.

Kevin Bohana (16) a Dylan Roberts (14), Caernarfon.

Pontio

Ma' lot o pobl newydd wedi symud i mewn i Llanfyllin a ma' gyda nhw lot o syniade da, syniade diddorol, ac ma' nhw wedi helpu cymuned yma i tyfu tipyn bach. Ma' 'na tipyn o *friction* achos ma' lot o ohonyn nhw ddim yn siarad Cymraeg. Ond gyda fy ngwaith dwi'n teimlo fel tipyn bach o ddolen rhwng y ddau a'u cael nhw i gydweithio.

Sheela Hughes (44), Llanfyllin.

Hen Swyddfa Bost. Llun P. B. Abery, trwy garedigrwydd y Llyfrgell Genedlaethol.

Cyfreithiau

Dyw pobl sydd wedi dod i'r ardal ddim yn deall cyfreth gwerin yn hytrach na chyfreth gwlad.

Rowena Snowdon (83), Rhyd-y-fro.

Caewch y drysau os gwelwch yn dda

Fel mae'n digwydd bod mae gynno ni landlord sy'n eitha ymwybodol ein bod ni'n byw yn syth ar y stryd, nad oes dim baria rhwng y pafin a'r ffenestri, allwch chi weld yn syth i mewn i'r tŷ. Mae dau glo ar y ffrynt a dan ni'n gneud yn siwr ein bod ni'n cau'r ddau glo. Pan ddes i yma gynta o'n i yn poeni y bydda pobl yn torri i mewn o hyd, o'n i'n meddwl y bysa 'na lot mwy o beryglon na sy' 'na. Mae gen i insiwrans ar bopeth. Mae o ar fy meddwl i o hyd. Pan dwi'n mynd allan dwi'n gneud ymdrech i gloi'r ffenestri a phethe. Adre ma o'n fwy *relaxed* – yr unig beth dwi wedi weld adra ydi pan mae 'na briodas neu angladd ac mae pobl yn gwybod fod pawb o'r ardal allan, ma' nhw'n gwneud ymdrech arbennig i gloi'r tŷ.

Heledd Jones (21), Dolannog/Caerdydd

33

Drygioni a diweithdra

Diweithdra yw un o'r probleme mawr. Os yw dyn yn gweitho 'ma rhyw ddeg awr o'r dydd ma' fe'n gweitho. Os yw e'n gweitho ma'n rhaid iddo fe gael hyn a hyn o gwsg, a wedyn sdim lot o amser ar ôl 'da fe i wneud drygioni. Os nad yw e'n gweitho ma' trwy'r dydd, neu trwy'r nos, 'da fe i wneud drygioni.

Brenig Jones (79), Maerdy.

Ymosodiad

Un bore darodd rai i mewn i'r tŷ am chwech o'r gloch y bore. O'n i wastod ar ddi-hun am chwech o'r gloch y bore. O'dd ci 'da fi, o'n i'n cadw fe yn y *conservatory* mas fan hyn. Y bore dydd Sul hyn o'n i ar ddi-hun yn y gwely, ond

South Wales Evening Post, 20 Mehefin 1988.

o'n i ddim wedi codi, a dyma'r ci yn cyfarth yn annaturiol. O'n i'n ffili deall beth o'dd yn bod. O'n i'n credu fod rhywun yn siwr o fod draw yn y *sawmills*. Dwi'n cofio dod o'r gwely a cydies i yn fy nhrowser. Dodes i ddim fy nhrowser lan. Aetho i lawr llawr a gollwng y ci mas. Pan o'n i'n agor y *sliding door* i'r *conservatory* dyma fi'n cael fy nharo ar fy ngwar. O'n nhw'n siwr o fod wedi 'nghlywed i'n dod lawr trwy'r star yn agor y dryse. Darodd e fi ar fy mhen.

Dynon nhw fi i mewn i'r tŷ. Fi'n cofio ishte fan'ny a tri bachan mawr o 'mlaen i a bwced o ddŵr 'da nhw. O'n nhw wedi twlu dŵr drosto'i i 'nghael i nôl ataf fy hunan. Dodon nhw fi i ishte ar y gader yn y gegin tra o'dd un bachan yn tynnu dreirs y seld mas i gyd. O'dd dau arall lan yn y llofft.

Pan o'n i'n ishte ar y gader o'n i'n credu taw breuddwydio o'n i chi'n gweld. Ond o'n i'n dechre dod nôl i'n hunan nawr. O'dd y boi hyn yn dishgwl mewn i'r drar. O'dd yr hen beth o'dd gyda fe yn pwno, fel stanshion, ar y llawr. Bues i byti cydio yn hwnnw a'i daro fe, fydden i wedi rhoi pompad iddo fe. Ond fe wedodd rhywbeth wrtha'i i beido â'i wneud e achos fe allwn i fod wedi codi trwbwl i'n hunan, neu fe allen i fod wedi rhoi bangad iddo fe.

Aethon nhw â fi i mewn i'r parlwr wedi 'ny a o'n i'n gorffod ishte fan'ny wedi 'ny tra o'n nhw'n tynnu dreirie fa'ny. Glywes i dyn y lla'th yn dod, o'dd hi'n tynnu at tua saith o'r gloch. Wedi 'ny aethon nhw a fi lan i'r llofft. Amser o'n i'n mynd lan i'r llofft o'dd yr hen fachan hyn tu ôl i fi yn pwno fi yn fy nghefen â hen *screwdriver* bach. Troies i ato fe, *'why are you doing that?'*, wedes i, *'if you want to, come down to the kitchen and have a clean fight, if you've come after money go after money'.*

Lan â fi i'r llofft a'th e ta beth. Gorffes i fynd ar y gwely a clymon nhw fi ar y gwely â cortyn asbestos. Clymon nhw'n ddwy law i a tynnon nhw nghorff i reit lan yn deit. Wedyn tynnon nhw nhrad i yn sownd i waelod y gwely. O'n i lan fel'ny yn hongan.

O'dd un ohonyn nhw wedi 'ny â hen beth gyda fe yn gwasgu fy mhreifets i a gofyn, *'where's the money?'*. O'dd e'n gwasgu fi a gwasgu fi. O'n i'n clywed fy hunan yn 'wysu'n dwlpe bach. O'n i wedi cystal â mynd *off* wy'n credu. O'n nhw wedi tynnu'r tŷ'n rhacs. Peth nesa glywes i o'dd car yn dod nôl. Wedodd un, *'it's time to go'*, a dodon nhw blaster yn grôs i 'ngwyneb i.

O'n i'n sownd fan hyn. O'dd y cortyn o'dd yn fy nala i yn dri chwarter modfedd o drwch. Nibles i'r cortyn 'da ngwinedd. Mi dorres i hwnnw a daeth e'n rhydd. Shigles i'n hunan wedi 'ny a daetho i'n rhydd o waelod y gwely. Troies i'n hunan wedi 'ny a daetho'i *off* o'r gwely ac aetho i gan bwyll ar y llawr nes bo fi ar ben y star. Aetho i glip, glip, glip nes bo fi ar waelod y star. Wedi 'ny mi geso i'n nhrad yn rhydd a geso i hen *slipers* fan'ny a gydies i mewn tywel ac aetho i i'r tŷ drws nesa. Gwyn o'dd enw bachan drws nesa, fe dorrodd gweddill y cordyn. Y peth cynta o'n i'n gofyn o'dd am ddŵr. Fi'n credu tawn i wedi cael awr arall fyddwn i wedi mynd.

David Giraldus Cambrensis Morgan (77), Pen-y-groes, Llanelli.

Gaucho'r Faenol

Roedd gan fy nhad i gystal rheswm â neb i gasáu teulu'r Faenol. Fe fuo

Ewythr J. E. Williams ym Mhatagonia.

rhaid i fy nhaid i anfon 'i fab, fy ewyrth i, o'r wlad 'ma neu gael 'i droi allan o'i gartra. Roedd brawd fy nhad wedi cael 'i ddal yn potsio ffesants, fe aeth o i Batagonia. Fe fysan nhw wedi cael eu troi allan o'r ffarm 'blaw ei fod o wedi cael 'i yrru o'r wlad. Aeth o yn Gaucho i'r Ariannin.

John Ellis Williams (74), Llanrug.

Carcharorion yr Ymerawdwr

Fues i'n Gaerdydd yn gofyn am ymddiheuriad gan Ymerawdwr Japan. O'n i yn un o'r rhei'na. O'dd bywyd yn galed mas 'na. Ond wy'n falch mod i'r seis wy' fi achos o'dd y bois bach, fel fi, yn gallu ymdopi yn well na'r bois mawr. Siwr o fod fod ishe mwy o fwyd ar y bois mawr a do'dd dim digon o fwyd i gael. Pelen o reis ddwywaith y dydd na'i gyd oedden ni'n gael a ryw sŵp fel dŵr twym.

Ma' nhw'n bobl greulon. O'n nhw'n greulon at 'i gilydd felly doedd dim disgwyl i ni gael dim byd yn well. O'ch chi'n gweithio deuddeg awr y dydd, o'ch chi ddim yn cael bwyd ac o'ch chi'n cysgu ar y llawr. O'dd *Red Cross Parcels* yn dod mewn i'r camp – dim ni o'dd yn cael nhw. O'ch chi'n cael un peth mas o *parcel* – nhw o'dd yn cael y gweddill. Fyddech chi'n gwneud rywbeth bach mas o le gallech chi gael eitha cosfa. Fydden nhw yn gwneud i'r bois mawr benlino ar y llawr fel gallen nhw roi cwpwl o glowts rownd ych pen chi. Pallu rhoi mewn o'dd yn ych cadw chi i fynd. Golles i ffrind annwyl o *Chester*

achos bod e wedi rhoi mewn. Do'dd e ddim yn fodlon ymladd a fuodd e farw.

Welon ni'r *atomic bom* cynta'n mynd lan. Welon ni'r *mushroom cloud* a dechreuon ni sylweddoli bod rhywbeth ar y gweill. Wy'n falch fod e wedi digwydd. Wy'n benderfynol y bydden ni wedi cael ein lladd oni bai am hynny. Ymhen sbel dath y *bombers American* 'ma drosodd a tipo'r holl fwyd 'ma mas i ni – o'n i'n byw fel *lords* wedi 'ny. O'dd y doctoried i gyd yn dweud, 'byddwch yn garcus nawr, peidwch â'i gorwneud hi 'da'r bwyd 'ma'. Ond myn uffach i do'dd neb yn cymryd llawer o notis!

Brenig Jones (79), Maerdy.

Chwipio

Un sgyn i go' erioed yn cael y chwip yn y pentra. *Nine strokes of the cat*

Carcharorion yn Siapan rhyw fis ar ôl diwedd y rhyfel.

Ffermwyr wrth eu gwaith yn hau. Llun P. B. Abery, trwy garedigrwydd y Llyfrgell Genedlaethol.

fel oeddan nhw'n deud. Un rioed. Nath o ddim drwg wedyn. Tua Caernarfon 'na yn rhywla oedd o'n digwydd. Dwi'n cofio'r boi yn iawn.

John Ellis Morris (85), Deiniolen.

Gwarthnod

Os o'dd rhywun wedi bod yn y carchar o'dd hynny yn glynu wrtho fo. Ar ôl iddo fo ddwad allan o'dd ei gosb o'n dechra.

John Ellis Williams (74), Llanrug.

Wylfa

Wyddoch chi fel ma' pobol wedi bod yn siarad am *nuclear power*? Ma' nhw'n meddwl bod pob math o betha' yn dwad allan o Wylfa, a does dim wyddoch chi. Dwi'n gwbod nad oes dim. Ma' pobol yn cael y *rong impression* o be sy'n digwydd.

Y peth mwya' ddigwyddodd o'dd Chernobyl. Dim byd i neud efo Wylfa wrth gwrs. Coeliwch neu beidio o'dd na fwy ar fy nhraed i, a traed pawb arall, yn mynd i mewn – o'dd y petha'n canu wrth i chi fynd i mewn i Wylfa dim wrth i chi ddwad allan. Dwi'n cofio mynd yna, panics mawr, pawb yn *contaminated*, wedi 'i gerddad o o allan.

Dwi'n cofio ffonio'r musus 'ma a deud wrthi am gadw'r hogia yn y tŷ nes byddwn i'n gwbod mwy.

Owen Edwards (72), Caergybi.

Lectric dŵr a melin wynt

Dwi'n poeni ar gownt y peth niwclear 'ma achos ar y cyrion oeddan ni efo'r peth Chernobyl 'na. Taswn i'n cael fy ffordd lectric dŵr neu felin wynt fysa hi i gyd. Dwi'n methu dalld pobl yn gweld bygythiad y felin wynt ma'n troi ar ochr y mynydd 'ma. Dwi'n cofio amser pan oedd Marconi ar ben y mynydd 'na a rheiny'n rhuo. Fydda'r hen bobol yn deud, 'ma'i am dywydd mawr – ma' Marconi'n canu'.

John Ellis Morris (85), Deiniolen.

Busnesu

Dwi yn poeni am y *genetically modified* petha' 'ma dwi 'di clywed sôn amdanyn nhw. Ella bod anifeiliaid gwyllt yn mynd i ddiodda achos fydd dim *pollen* i'r pryfaid, dim pryfaid i'r adar ... mae'r *food chain* yn mynd i dorri i lawr. Ma' 'na ormod o fusnesu efo natur. Ma' 'na fryn tu ôl i Tudweiliog sy'n mynd am Garn Fadryn ffor'na. Ma' 'na sôn bod nhw'n mynd i roid melinna' gwynt ar hyd y topiau i gyd. Dyna chdi un peth dan ni yn cael digonedd ohono

Dipio defaid yn yr afon. Llun P. B. Abery, trwy garedigrwydd y Llyfrgell Genedlaethol.

fi ydi gwynt! Dwi ddim yn poeni llawer am hynna, ma' nhw'n lannach na niwclear, glo a nwy. Dydyn nhw'n gwneud dim niwed i'r amgylchedd.

Selwyn Jones (38), Tudweiliog.

Y rhod yn troi

Ma' 'na goed yma yn perthyn i'r Forestry Commission, yn arfer bod, ma' nhw wedi cael eu gwerthu rwan. Ma' 'na o gwmpas cant ac ugain o aceri. Dwi'n ei gofio fo'n rhedyn, rhedyn o'dd 'ne ochr bella i'r afon a coed derw ochr yma i'r afon. Ma' rheiny wedi mynd rwan, does 'na 'mond y coed gwyrdd 'ma i gyd. Ma' nhw wedi eu gwerthu i rywun preifat erbyn hyn. Ma' nhw'n meddwl torri nhw i gyd a planu coed derw yna yn ôl.

Emlyn Evans (69), Llansannan.

Nant y mynydd

Mae'r dŵr yn y ddinas yn afiach. Dan ni efo ffynnon adre, Ffynnon Siriol. Fan hyn alla'i bron ddim diodde golchi nannedd yn y dŵr.

Heledd Jones (21), Dolannog/Caerdydd

Dipio

Pan odden ni'n dipio defed ers talwm fydden ni'n gwagio'r dip hyd y cae. Rwan ma' 'na reole newydd yn dod allan – fydd rhaid i ni gael trwydded i neud. Fydd rhaid i ni yrru ffwrdd i gael ffurflen i'w llenwi. Fydd rhaid cael un lle i wagu'r dŵr o'r dip, jyst un lle, fydd rhaid deud lle dan ni'n gneud. Ma'r drwydded yn costio pedwar ugain punt yn y lle cyntaf. Dan ni wedi arfer â dipio defed ddwywaith y flwyddyn ers blynyddoedd lawer, ond yn y blynyddoedd diwethaf 'ma dan ni mond yn gwneud un waith ac yn rhoi brechiad iddyn nhw tro wedyn i safio busnes y dip dŵr 'ma.

Emlyn Evans (69), Llansannan.

Y Cwm yn Glasu

Mae hon yn gymuned ôl ddiwydiannol. Ar un cyfnod oeddech chi'n gallu gweld dau ddeg a chwech o byllau glo o ffenest fy nhy i, nawr chi ddim yn gallu gweld dim ond un cae mawr lle fuodd glo brig.

Siân Thomas (49), Castell y Rhingyll.

Eira mawr '47

Dwi'n cofio gaeaf 1947. Ro'dd na goeden o fla'n bob ty yn y stryd lle o'n i'n byw a dwi'n cofio agor y drws ag o'dd yr eira fel wal tu allan i'r drws a'r dynion yn gwneud twnel i ni fynd allan. Dwi'n cofio fel plentyn mynd allan i chwarae 'da'n ffrindie ac yn cerdded ar yr eira ac yn mynd o ben un coeden i'r llall. Mae'r gaeafe'n fwyn iawn erbyn hyn.

Rhianedd Bowen (60), Cricieth.

Eira mawr 1947. Y ffordd rhwng Llanfyllin a Llanwddyn. Llun Geoff Charles, trwy garedigrwydd y Llyfrgell Genedlaethol.

Cychwyn y cylch ailgylchu

Y peth cynta fi'n neud o ran yr amgylchedd yw treial peido gwneud pethe'n wa'th. Mae'n syniad da i ailgylchu ond mae'n syniad gwell peidio prynu pethe diangen yn y lle cynta, so fi'n treial peidio prynu pethe fi ddim ishe a treial byw mewn ffordd low consumption. Dwi'n treial peidio teithio heb fod angen. Jyst treial meddwl mwy am bethe fi'n credu.

Nick Davies (37), L'angrannog.

PENNOD 3

Perthyn

Agosatrwydd

O'dd nhad yn un digon pell. Ma' gyn i ddau o hogia – ma' nhw fatha dau frawd i mi.

John Ellis Morris (85), Deiniolen.

Cynnal a chadw

O'n i'n cynnal fy mhriodas, cynnal fy rhieni, cynnal fy mhlentyn, cynnal fy hunan a cynnal y job, o'dd e'n aruthrol – 'sdim rhyfedd mod i wedi gorfod ymddeol deunaw mlynedd yn gynnar.

Rhianedd Bowen (60), Cricieth.

Mam a merch. Llun trwy garedigrwydd y Llyfrgell Genedlaethol.

Ganrif yn ôl roedd cyn lleied o sôn am 'ryw' fel prin y gallech gredu ei fod o'n bod, yn wir, mae'n debyg fod pobl yn cael llai o ryw yn neugain mlynedd cyntaf y ganrif hon nag oedden nhw wedi ei gael ers tri chan mlynedd. Eto roedd y byd yn dal i droi a phlant yn dal i gael eu geni, y tu fewn a'r tu allan i lân briodas. Ganrif yn ôl os oedd eich cariad yn talu ymweliad â'ch cartref chi roeddech chi gystal â bod yn briod. Ganrif yn ôl doedd dyn ddim yn gwthio pram ac mae'n debyg mai un math o ddynes yn unig fyddai'n mynd i dafarn. Ganrif yn ôl ychydig iawn o sôn oedd yna am bobl hoyw nac am ddau gariad yn byw efo'i gilydd, doedd dulliau atal cenhedlu ddim ar gael yn gyffredin a phrin oedd y sôn am ysgaru.

Faint o newid sydd wedi bod yn ystod y can mlynedd a aeth heibio? Wel fe ddatblygwyd y bilsen ac fe ddaeth rhyw y tu allan i briodas yn brofiad i'r mwyafrif erbyn y saithdegau ac er fod pobl yn dal i briodi mae mwy nag erioed yn ysgaru. A yw perthynas pobl â'i gilydd rywfaint yn haws ar ddiwedd yr ugeinfed ganrif nag oedd hi? Pa mor hawdd yw hi i bobl rannu eu teimladau â'i gilydd boed nhw'n ddau gariad, yn dad a mab, yn fam a merch neu'n ŵr a gwraig? Pa mor rhyddfrydig yw cymdeithas mewn gwirionedd wyneb yn wyneb â phobl hoyw neu gyplau'n cyd-fyw?

Dyma brofiadau rhai pobl o geisio byw a chyd-fyw yn ystod y ganrif hon.

RAJ

Canlyn yn y cwrdd …

Nos Sadwrn o'dd ein nosweth ni pan o'n i'n ifenc. Falle mynd i pictiwrs Crosshands. O'dd *monkey's parade* yn Crosshands pryd 'ny. 'Na le o'dd pobl yn cwrdd. Ar nos Sul fyddech chi'n mynd mas i Crosshands ar ôl bod yn y cwrdd. Tebyg iawn taw lawr fan'na gwrddes i â'r wraig gynta. O'dd hi wedi bod yn capel Pen-y-gros a minne wedi bod yn capel Tabor. Pan o'n i'n dechre caru a mynd yn *serious* gyda'n gilydd fydden i, ambell i nos Sul, yn mynd lan i'w chapel hi a hi'n dod i nghapel i.

Dilwyn Davies (71), Gors-las.

Pen friends

Priodes i yn '94 i Americanes. Doedden ni ddim yn nabod ein gilydd yn dda iawn cyn priodi a deud y gwir. O'n i'n *pen friends* am ddeg mlynedd ac wedyn cwrddon ni yng Nghaerdydd. Wedyn es i i America am tri mis, wedyn penderfynon ni bod ni moyn bod gyda'n gilydd, *so* naethon ni briodi. Aeth pethau o chwith ar ôl hynny. Oedd un neu ddwy o brobleme gyda ni – ond ni dal yn ffrindie. Oedd e'n gamgymeriad – ond doedd dim ffordd o wybod hynny ar y pryd.

Nick Davies (37), Llangrannog.

Cariad a galar

Pedair ar ddeg o'dd y wraig pan gwrddes i â hi gynta a o'n i braidd yn un deg saith. Fuo ni'n briod am dri deg a naw o flynydde. O'dd run diddordebe gyda ni. O'dd hi yn y busnes gyda fi, o'dd hi'n ysgrifenyddes y capel ac yn

Trip o Lanrwst mewn priodas ffug yn Gretna Green, 1953.

Marlis Jones a'i gŵr yn mynd i ffwrdd ar eu mis mêl.

ysgrifenyddes y gangen leol o Blaid Cymru. Ma' pobun yn dweud, 'ma'n rhaid ca'l ffra' i gliro'r aer', 'o'n ni byth yn ffraeo. Colli'r wraig o'dd y peth gwaetha sy' 'di digwydd yn fy mywyd i. Un dydd Sul o'dd hi yn y capel yn gweitho, dydd Sul wedi 'ny o'dd hi'n marw.

Dilwyn Davies (71), Gors-las.

Te Parti!

Runig fan fydda pobl yn mynd i gwrdd â'i gilydd fydda yn y cwrdd ar ddydd Sul, dau gwrdd fel arfer. O'dd te parti unwaith y flwyddyn – oedden ni'n cwrdd yn man'na wedi 'ny. Ware *Ring a Rosie* a phethe. Te parti'r fro, y capel a'r cyfan, a *sports* – rhedeg a neidio a phethe. Ma' fe'n cael ei gynnal hyd heddi, ond o'dd e'n mwy pwysig slawer dydd.

Jonathan Davies (84), Pontsenni.

Carwriaeth hyd braich

Pan o'ch chi'n dod i garu o'dd y ferch byth yn dod i'r tŷ. O'dd y cwbwl yn *distant* iawn. Ond gaetho i niwed ar y motobeic. Bwrodd bachan arall mewn i fi a bues i'n *unconscious* o tua tri o'r gloch hyd chwech o'r gloch y bore. O'dd fy wejen i wedi clywed mod i wedi cael dolur ac fe dda'th hi lan i ngweld i. O'dd hynny'n beth mawr iawn yn ych carwrieth, bod hi wedi mentro dod i'r tŷ.

Caradog Jones (82), Brechfa.

Put on your best blue ...

We've got a date', medde Margaret, 'so put on your best blue old girl'. 'Margaret where are they?', medde fi. 'There they are, over there!', medde hi. 'Hen ddynion yw rheini', wedes i, 'dach chi ddim ishie mynd gyda rheina!'. Oedd pedwar deg oed yn hen i fi chi'n gwybod. 'Peidiwch a gweud dim byd,' medde hi 'dan ni yma, a dan ni'n mynd i gael pryd o fwyd'. 'Hello, and how are you? What will you have to drink?', medde'r dynion. Oedd 'da fi ddim syniad. Corona o'n i'n gael adre, o'n i ddim yn gwybod beth i ofyn amdano. Oedd gyda Margaret ddim pres i gael, fi oedd supposed i fod yn dlawd, roedd hi ishie benthyg hanner coron i gael excuse i gael mynd at y bar i ofyn beth oedd ladies yn yfed! Wedyn, cael cinio 'da'r dynion 'ma, nhw'n talu amdano fe a ninne'n sgarpro!

Eso ni i'r bar wedyn ac fe oedd yna ddau officer arall wrth y bar yn chwarae poker dice. Aeth Margaret i fyny, digon o cheek, a dechre cael chat efo rhain. 'Who's your friend? Tell her to come and join us', medde nhw. O'n i'm yn gwybod ffordd i chware dice, ond chware dice neso'n ni. Cymaint oedd raid i ni wneud oedd eu twlu nhw. Wn i ddim ffordd aeth Margaret adre, ond fe ofynnodd un o'r officers gae e fynd â fi adre. A fe oedd fy ngŵr i.

Sylvia Johnson (80), Tal-y-bont.

Trefn natur

Doedd fy rhieni byth yn trafod materion rhyw. Oeddan nhw'n cymryd yn ganiataol mod i'n gwbod. O'dd y busnas yma yn mynd ymlaen o nghwmpas i bob dydd. O'dd na rwbath

Sylvia Johnson adeg y rhyfel, rhes ôl, ar y pen ar y dde.

Mam J. E. Williams pan oedd hi'n gweini yn Glynllifon.

ar gefn rwbath neu'n geni rwbath ymhob congol yn ddyddiol jyst.

John Ellis Williams (74), Llanrug.

Dynion noeth

Pan o'n i'n ferch fach o'dd bron pob dyn yn Pen-bre yn gweitho yn y gwaith glo, coliers o'n nhw bron i gyd. O'n inne nawr yn mynd i mewn i'r tai. Agor y drws a gweiddi 'milko!'. A 'na le o'dd y dynon yn y badell o fla'n y tân! O'n i'n gwybod be o'n i'n wneud – o'n i'n wneud e'n amal. Bechgyn ifanc o'dd rhai ohonyn nhw – yn

plygu i lawr i guddio'u hunen!

Gaynor Tiplady (87), Pen-bre.

Dwy hen dartan!

Dim ond un siort o ferch o'dd yn mynd i dafarn. O'dd merched felly 'ar gael' am bres ac am hwyl. O'dd 'na dŷ byta bach yn Borth o'dd yn nodedig am ei fwyd. O'dd 'na ddwy ferch ifanc olygus, osgeiddig, yn dwad â'r bwyd at y bwrdd ac os gwir y gair oddan nhw ar gael yn ddiweddarach am ddiddanwch arall. O'dd y rhai o'dd yn mynd yno'n gyson yn gwbod yn union pa un o'dd ar gael drwy sylwi ar osodiad dwy dartan yn y ffenast, fala a cyraints, os oedd y fala gosa at y gwydr o'dd un ar gael ac os o'dd y cyraints gosa at y gwydr o'dd y llall!

John Ellis Williams (74), Llanrug.

Gwerth dime

O'dd merched pert yn y pentre hyn, ond do'dd dim arian 'da fi i'w *chaso* nhw. Pan o'n i'n rysgol, yn *standard one*, chwe mlwydd oed, o'dd merched yn dod i'r ysgol ddim yn gwisgo nics. Dim arian i brynu nics. O'dd un yn iste tu ôl i ni yn *standard one*. O'dd fy mhartner yn cwmpo dime ac fel odd hi'n agor ei choese i bigo'r ddime lan roedd Dai a finne yn plygu lawr ac yn cael pip am ddim am nôl y ddime.

Percy Lloyd (76), Pwll.

Y kissing ring

Slawer dydd amser o'n i'n *teenager* o'dd capel ni yn cynnal *social*. Y bobl ifenc o'dd yn redeg e. O'n i'n casglu bwyd a fydden ni'n trefnu rhaglen a pryd hynny fydden ni'n dawnsio, dawns fel y *waltz* a'r *fox trot* a mynd gan bwyll ac hamddenol. Dwi'n cofio un o'r *socials* – o'dd hi'n noson ola leuad braf a'r lleuad yn llawn, a dyma ni i gyd allan i iard yr ysgol a gwneud cylch mawr – *kissing ring* – bob tro o'dd y *music* yn stopo o'dd y bechgyn yn cusanu chi.

Gaynor Tiplady (87), Pen-bre.

Ofan

Do'dd dim llawer o'r gymdeithas o'n i'n rhan ohoni hi yn cael plant y tu fas i briodas. Ofan o'dd arnon ni, ofan ca'l rhyw, achos o'n i'n gwybod galle rhywbeth ddigwydd, gormod o ofan beth fydde'n rhieni ni'n ddweud.

Brenig Jones (79), Maerdy.

Alltudiaeth

O'dd chwaer 'da dad-cu o'dd wedi mynd mas i wasanaethu yn y ffermydd mawr neu da'r *squires* ac yn amal fydde'r dynion 'ma yn gorfodi'r merched i gael rhyw. O'dd chwaer 'da dad-cu gas blentyn fel hyn. O'dd neb yn gwybod pwy o'dd y tad medd mam-gu. Fe adawodd hon y babi ac fe aeth dros y môr i Montreal. Ddo'th hi byth nôl i Gymru. Ond dda'th dau fab iddi draw 'ma yn ystod y rhyfel cyntaf – dda'th y fam byth nôl.

Gaynor Tiplady (87), Pen-bre.

Gwersi dawnsio yn y Neuadd Goffa, Pen-bre.

Mam-gu Gaynor Tiplady, gwerthwr llaeth a budwraig pentref Pen-bre.

Un o deuluoedd mawr Gors-las, *c.* 1920.

Safiad

Ma' sôn am fy nhad cu. O'dd bedydd yng nghapel Hermon ac o'dd un menyw wedi ca'l cam a o'dd hi wedi dod a'i babi i ga'l ei fedyddio. O'dd hi mlan yn y set fawr nawr a'r pregethwr yn gofyn, 'enw'r tad?'. Dyma dad-cu yn sefyll lan ac yn dweud, 'bedyddiwch chi'r plentyn yma, ma'r ferch fach hyn wedi ca'l cam'. Fe fedyddiwyd y plentyn ond o'n nhw'n bedyddio neb felly amser 'na.

Gaynor Tiplady (87), Pen-bre.

Coleg Hotpoint

O'n i ddim yn gwbod am flynyddoedd be o'dd *lesbians* a *homosexuals* a thallu tan i mi fynd i Hotpoint pan o'n i dros fy neugain.

O'dd yr hen ffactri 'na yn lot o agoriad llygad. Oeddach chi'n dysgu lot gyn wahanol gymeriada. Oeddach chi ddim yn trin petha felly yn chwaral, ond yn fan'na *wine, women and song* oedd hi gynnyn nhw.

John Ellis Morris (85), Deiniolen.

Dynion hoyw

O'n i'n gwybod dim am ddynion hoyw nes i mi ofyn i Auntie. O'dd gŵr i g'nither iddi yn gapten llonge hwylie o'dd yn mynd o harbwr Pen-bre a fe o'dd wedi dweud beth o'dd dynion y criw yn wneud pan gyrhaedden nhw Belgium a'r rhanne 'na. O'dd rhai dynion moyn menyw a rhai moyn dynion. A fe chwerthines i! O'n i rioed wedi clywed shwd beth yn fy mywyd.

49

O'dd Auntie yn ardderchog yn dweud y storiau hyn wrtha i. Tase mam wedi gwybod fydde mam wedi'i lladd hi!

Wedyn o'dd y gweinidog hyn, do'dd neb ohonon ni yn gwybod 'i fod e'n hoyw, ond o'dd e wedi sgwennu llythyron caru at sowldiwr, ond o'dd y sowldiwr wedi troseddu ac o'dd e yn y *glass house*. O'dd y gweinidog 'ma yn sgwennu llythyron a'r llythyron yn cael eu hagor achos fod y sowldiwr yn y *glass house*, a dyna fel y ffeindion nhw mas a gath y gweinidog 'i ddal a chael *jail* am beder blynedd. O'dd pawb wedi synnu. Slawer dydd o'dd e'n bechod. Nawr ma' dynion hoyw ym mhobman.

Gaynor Tiplady (87), Pen-bre.

Dynion prydferth

Yn Thailand mae cymaint o *transexuals* a dynion wedi gwisgo fyny fel menywod a mae nhw mor brydferth. Mae mam a dad wedi gwneud yn siwr ein bod ni'n cael ein ecsposio i hynna yn gynnar iawn.

Dda'th un o ffrindie gore mam, Roger, i aros gyda ni yn Caerdydd pan o'n i tua un ar ddeg, pan oedd Yncl George yn byw gyda ni, oedd tua wyth deg tri, *coalminer* o Cynffig. Roedd pawb yn iste i lawr, Yncl George hefyd, a dyma mam yn dweud, '*everyone knows Roger, you know how unhappy Roger was as a man – Roger is now Sylvia*'. Mae Roger yn uffernol o dal, *six foot three*, *very hairy*, *very masculine*, ond 'nath pawb ei thrin hi fel dynes. Roedd Yncl George, oedd heb weld lot o'r byd, yn wych, roedd e'n *total gentleman* am y peth.

Catryn Ramasut (23), Caerdydd.

Priodi a byw

Mae o'n syniad da byw efo rhywun. Wedyn dach chi'n cael syniad os ydach chi'n lecio nhw o ddifri neu ddim. Felly dach chi'n safio pres – achos dach chi ddim yn cael *divorce*. Mewn cymdeithas wledig hen ffasiwn mae pobl yn tueddu i edrych i lawr ar bobl sy'n byw efo'i gilydd dwi'n meddwl. I sefydlu teulu mae priodas yn syniad da, dwi'n meddwl ei fod o'n gosod sylfaen dda i ddwyn plant i fyny, ond dwi'n hen ffasiwn fel'na.

Heledd Jones (21), Dolannog/Caerdydd

Persona Non Grata

Pan o'n i'n byw yma gyda'r gŵr yn y tŷ hyn cyn i ni briodi o'n i'n meddwl fod popeth yn iawn. Dim ond ar ôl i ni briodi sylweddoles i fod fy statws i yn y gymdeithas wedi newid. Pan o'n i jyst yn byw 'ma ro'dd y teulu estynedig sy'n byw yn y pentrefi 'ma yn groesawgar iawn i ni. Ond ar ôl i ni briodi ges i'r gwahoddiad i ddod yn athrawes Ysgol Sul, gwahoddiad i ymuno â Merched y Wawr a'r W.I. a phethe felly. O'n i'n sylweddoli trwy'r gwahoddiade yma a'r newid yn y ffordd oedden nhw yn fy nhrin i, fy mod i wedi bod yn *persona non grata* cyn i fi briodi ond mod i ddim wedi sylweddoli hynny. Nes i ddim ymuno â Merched y Wawr na'r W.I. na'n sicr ddim bod yn athrawes Ysgol Sul!

Siân Thomas (49), Castell y Rhingyll.

Gorfod priodi

O'dd 'mrawd canol i tua un deg saith pan a'th 'i gariad o i ddisgwyl. Fuo 'na uffar o le 'ma adeg hynny. Pawb o'r teulu yn busnesu, a fuo rhaid iddyn nhw briodi. Pan ddoth wyth deg saith, dwi'n cofio'n iawn, cuddio tu ôl i'r *Caernarvon and Denbigh*, a meddwl, 'ma'n rhaid i mi ddeud wrthyn nhw rwan', a mentro, '*by the way* mae Nicole yn disgwyl, a dwi'n deud wrthach chi rwan peidiwch a busnesu, dan ni ddim yn priodi'. A'r ateb ges i o'dd, 'ti'n ddigon hen a hyll – g'na be ti ishio'. Naethon ni ddim priodi nes o'dd hi'n disgwyl y *twins*. O'dd o'n *true love* ar y pryd.

Selwyn Jones (38), Tudweiliog.

5.0 o blant?

Mae'r teulu yn holl bwysig i ni. Mae Helen yn un o saith o blant ac o'n i hefyd yn un o bump o blant. Mae'r ffaith bod teulu mawr gyda ni, yn ôl cyfartaledd yr oes yma, yn rhywbeth sydd wedi bod o bwys i ni. Y teulu a'r eglwys yw'r pethe sydd yna yn ganolbwyntie i'n bywyd ni.

Patrick Thomas (47), Brechfa.

Gwario amser nid gwario arian

Gallen i'n bersonol fod wedi ennill llawer yn fwy na beth ydw i wedi ennill, mae cyfle wedi bod i mi fyw yn y gwaith. Ond dwi ddim yn credu y gallwn i fod wedi gwneud hynny, yn enwedig pan oedd y plant yn tyfu. Nage dim ond ishie arian sydd ar y plant mae ishie amser ar y plant ac ar y rhieni i wario yr amser yna gyda'r plant. Mae gwario amser yn fwy pwysig na gwario arian.

Arwel Michael (58), Pen-rhos, Ystradgynlais.

Siân Thomas a'i gŵr ar ôl neidio i'r môr, ddydd San Steffan 1992.

Dr Patrick Thomas a'i deulu - Iori, Llinos, Gareth, Gwenllian, Mair a Helen.

Llond tŷ o blant!

Dwi'n unig blentyn a dwi wastad wedi dweud mod i ishio mwy nag un plentyn. Faswn i wedi lecio cael brawd neu chwaer. Fasa well gen i gael pump neu chwech nag un!

Heledd Jones (21), Dolannog/Caerdydd

Edrych ar yr ochr ore …

Un o siomedigaethau mawr fy mywyd yw nad oes plant gyda fi i drosglwyddo fy etifeddiaeth iddyn nhw. Mae pobl yn dweud mai plant yw'r peth pwysicaf yn eu bywyd nhw. Er mod i'n gweld ishe nad oes dim plant gyda fi wy' ddim yn gweld ei fod e mor dyngedfennol bwysig â hynny. Wy' ddim wedi delio â'r peth yn rhesymegol, wy'

wedi bod yn hollol emosiynol, ond os nad ych chi'n gwenu dych chi ddim yn byw, os ych chi'n drist dych chi ddim yn cael bywyd llawn, yr unig ffordd allwch chi ymdopi 'da bywyd yw edrych ar yr ochr ore a bod yn hapus.

Siân Thomas (49), Castell y Rhingyll.

Cam-drin plant

Pan o'n i'n athrawes, ddim yn bell o Coventry, un bore o'dd bachgen bach yn hwyr i'r ysgol a finne'n aros heb gau y *register* nes bydde fe'n dod. Dyma fe'n dod a finne'n gofyn pam o'dd e'n hwyr. Yr ateb ges i o'dd, *'police in our house miss'. 'Police? Why the police?' 'Well our Tommy wanted to put his Robin in my hole.'*

Gaynor Tiplady (87), Pen-bre.

52

Rhyddid

O'dd hi'n fenter fawr i brynu car ar ôl gadael coleg. O'dd hi wedi bod yn uchelgais gen i i ddysgu gyrru a wedi 'ny cael car fy hun. Er ei fod e'n gar saith mlwydd oed roedd y wefr o ishte yn y car ar ben fy hun ac edrych o amgylch, 'fy nghar i yw hwn'. Fel mae'r rhod wedi troi yn ystod y misoedd diwethaf 'ma, dwi'n ôl yn y sefyllfa yna, ar ben fy hun ac wedi prynu hen gar, a wir i chi ma'r car 'na fel lloches, mae e'n ffrind a deud y gwir, mae e'n ehangu fy ngorwelion i.

Dwi wedi cymryd camau aruthrol i rywun sydd wedi bod mor ufudd. Dwi wedi cerdded allan o'r berthynas ar ôl deng mlynedd ar hugain, wedi dechre'r broses o ysgaru, wedi dewis a prynu car fy hun. Dwi wedi neud hyn. Dwi wedi mynd mor bell. Fyddai'n hyfryd medru fforddio gwneud gradd ...

Rhianedd Bowen (60), Cricieth.

Yr ex!

Ma' 'mherthynas i â nghyn-wraig yn well rwan nag oedd o yn y flwyddyn dd'wytha o briodas, ddeuda'i hynny. Mae hi'n byw yn y tŷ adewis i sydd ryw filltir lawr lôn, drws nesa i 'mrawd. Fydda i'n mynd yna, mynd a'r plant am *weekend* a ballu. Fyddai'n mynd a'r *maintenance* iddi hi. Ma'r C.S.A. ma'n delio efo'r *maintenance* i chdi, ma' nhw'n gymryd o efo *direct debit* o dy *account* di. Fydda' i yn handio fo iddi mewn pres. Sgun i'm teimlada' amdani ddim mwy, ond eto tasa hi'n mynd efo rywun arall dwi'n siwr fyswn i'n corddi 'sdi!

Selwyn Jones (38), Tudweiliog.

Amser i wylo

Dwi'n cofio'r ysgol gynradd ola fues i'n gweithio ynddi. O'dd y plant

Gwraig a phlant Arwel Michael, Llinos, Cellan a Pat, 1975.

Eunice Jones, Rhos-y-bol, a'i char cynta.

Selwyn Jones, Tudweiliog.

bach naw mlwydd oed 'ma mor *upset* ar fore dydd Llun. O'n i'n treial bod yn dyner 'da nhw ac yn raddol ddes i i ddeall be o'dd yn bod. Be o'dd yn digwydd o'dd fod y rhan fwyaf o blant mewn dosbarth fel'na yn dod o deuluoedd lle mae ysgariad neu gwahanu wedi bod. Wedyn o'dd *upsets* mawr ar y penwythnos pryd oedden nhw naill ai wedi bod gyda'r tad neu'r fam. Wedyn erbyn bod nhw'n dod i'r ysgol ar fore dydd Llun o'n nhw mewn cyflwr ofnadw.

Rhianedd Bowen (60), Cricieth.

Tad a mab

Ma' dad fi 'di gadal tŷ ni *since* o'n i'n un ar ddeg. Dwi heb 'di gneud llawar efo fo *since* hynna. Ond mae o'n dal yn dad i mi yn dydi? Fedra'i ddim newid hynna na fedra'? Ma' mam newydd briodi. Dwi'n licio fo, mae o'n foi iawn. Os 'di mam fi ishio bod yn hapus am *rest* o'i bywyd efo fo, fel'na ma'n mynd i fod. Dwi'n falch bo' mam fi'n hapus. Dwi ddim ishio gweld mam fi ar ben ei hun pan ma' hi'n hynach – dwi ishio gweld hi'n hapus ia.

Dylan Roberts (14), Caernarfon.

Cof plentyn

Na'th dad fi farw yn 1992. O'n i'n *proud* o dad fi. Fatha fo o'dd bia hannar siar yn Legion ia. O'dd o 'di gneud pres yn yr *army* a 'di dwad allan a 'di prynu hwn a 'di redag o. Dwi'n *proud* o mam fi hefyd achos dwi'n meddwl bod mam fi 'di gneud yn dda am chwech blynadd ar ben 'i hun yn magu pedwar ohonan ni a gneud bob dim 'i hun.

Kevin Bohana (16), Caernarfon.

Dagrau Tad

Dwi'n cofio pan o'dd fy mrawd bach yn wael yn fabi, dwi'n cofio nhad yn dod adra o'i waith ac yn crio uwchben y cot.

Owen Edwards (72), Caergybi.

Mam a merch

Mae mam fatha ffrind gore i mi rwan. Mae o wedi dod yn gryfach wrth i mi dyfu i fyny. Nes i fynd i'r Octagon efo mam dros gwyliau'r Nadolig i weld Bryn Fôn a chyfarfod fy ffrindie yna. O'n i'n teimlo digon hapus ei bod hi yno.

Heledd Jones (21), Dolannog/Caerdydd

Mam a mab

Os 'di mam yn gadal chi lawr dydi hi ddim yn fam.

Kevin Bohana (16), Caernarfon.

Cariad

O'dd fy rhieni byth yn dweud eu bod nhw yn fy ngharu i. Falle byddech chi'n cael *love and kisses* ar garden pen blwydd ond doedd e ddim yn rhan o siarad bob dydd. Dwi'n credu ei fod e'n bwysig dwued wrth blentyn eich bod chi'n ei garu e.

Rhianedd Bowen (60), Cricieth.

Cariad cwrw

Ddoth fy mrawd bach yma ryw noson i aros am nad o'dd o ddim ishio cael tacsi i fynd adra. Steddodd o'n fa'ma yn byddaru 'mhen i. 'Meddwl y byd ohonat ti'r hen frawd. Pam na fedra ni siarad pan dan ni'n sobor ...?'. 'Duw dos i dy wely'r diawl gwirion', medda finna. Wedyn, 'nei di stopio smocio? Dan ni ddim ishio i chdi farw...'. 'O cau dy geg...'. Na dan ni'n rhyfadd 'sdi. Os dan ni'n sobor, does gynon ni fawr i ddeud, ond pan dan ni wedi cael diod, dan ni'n bedwar brawd gwerth eu cael! Bob tro dan ni'n cael diod dan ni'n agor ein

David Giraldus Cambrensis Morgan a'i frawd Arthur.

calonna. Bora wedyn ma' hi'n, 'cau dy geg nes i ddim deud hynna!'.

Selwyn Jones (38), Tudweiliog.

Dau hanner brawd

Ma' 'na ddywediad bod dau frawd o'r un groth yn nes at ei gilydd na dau frawd o'r un lwynau. Dau frawd o'r un fam yn nes at ei gilydd na dau frawd o'r un tad.

John Ellis Williams (74), Llanrug.

Siglo'r crud

Fysa dad wedi marw tasa raid iddo fo wthio pram hyd lôn. Dim ond pansan sa'n gneud hynny ers talwm. Dwi'n meddwl fod o'n bwysig dwad dros y busnas fod dyn i fod i neud hyn a dynas i neud y llall, nenwedig lle ma' dy blant di yn y cwestiwn. Dyna sut ma' nhwtha'n dysgu i beidio sterioteipio pobl.

Selwyn Jones (38), Tudweiliog.

Blynyddoedd anodd

Mi aeth mam yn gripil efo arthritis. Roedd fy nhad yn edrych ar ei hôl hi. Gafodd dad *heart attack*, wedyn fe ddaethon nhw atan ni i Glegyrnant i fyw. Roedd hwnnw yn amser anodd iawn, iawn. Roedd y ddau ohonyn nhw yn wael. Roedd Medwyn yn naw oed, roedd o fy angen i fel mam, roedd Arfon fy angen i fel help allan ar y ffarm, ac fe roedd fy nhad a fy mam fy angen i fel nyrs. Roeddwn i'n cael fy nhynnu i bob cyfeiriad. O'n i'n gorfod codi dair neu bedair gwaith y nos, o'n i'n colli cwsg.

Roedd hi'n dair, pedair mlynedd trawmatig iawn, iawn. Mi es i'n feichiog ac fe fuo rhaid i mi ddewis be o'n i'n mynd i neud. Hwnna oedd y penderfyniad mwyaf anodd fuo raid i mi ei wneud. A dewis erthyliad nes i. Mae hynny dros ugain mlynedd yn ôl ac mae o'n dal i mrifo i ac i bwyso arna i.

Marlis Jones (61), Llanbryn-mair.

Gofalu am rieni

Farws 'nhad pan o'n i'n yr ysgol, pan o'dd e'n bedwar deg chwech, oherwydd *silicosis* a *stagmas*. Geso ni ddim ceiniog o *gompensation* o'r gwaith ar ôl iddo fe farw. Er o'dd e'n cael *compensation* pan o'dd e'n fyw, o'dd e'n cael 19/4 bob wythnos. O'n i'n mynd lan amser cino acha dydd Iau i *office* yr Emlyn i moyn nhw. Ond pan farws dita cheso ni ddim byd. Basodd y doctor fod rhywbeth arall arno fe.

Bydden i wedi priodi oni bai fod fy chwa'r a mam wedi bod yn wael. Farwodd fy chwa'r hena Margaret. Hi o'dd yn helpu fi yn yr *office* yn y felin. Gas hi *thyro opperation* a da'th hi byth yn iawn wedi 'ny. Buodd hi'n cadw gwely am dros beder blynedd. Wel 'na fe, fi o'dd yn dishgwl ar 'i gôl hi. Marws Margaret yn y diwedd a'n union wedi 'ny gas mam *seizure* ffeithiodd ar ei 'mennydd hi. Wel wedi 'ny bues i ddim llawer o gytre am flynydde. O'n i'n ffili mynd o gytre wa'th o'dd mam yn tŷ a ro'dd hi'n anodd iawn i chi fynd i unman. Bues i ddim llawer o gytre am flynydde dim ond dishgwl ar ôl mam a dishgwl ar ôl y felin.

David Giraldus Cambrensis Morgan (77), Pen-y-groes, Llanelli.

Marlis Jones wrth ei gwaith ar y fferm.

Te parti cyn bod trydan. Llun trwy garedigrwydd y Llyfrgell Genedlaethol.

Gofal

Y flwyddyn o'n i'n gwneud lefel A o'dd dad-cu ar ei wely ange, a'th fy mam i Sir Benfro. O'n i wedi 'ny â gofal fy nhad a gofal y tŷ a trio astudio ar gyfer lefel A. O'dd iechyd fy rhieni yn dirywio ac er mai i'r Brifysgol yn Aberystwyth o'n i am fynd, achos fy mod i yn unig blentyn ac yn ferch nes i ffugio mai i'r coleg hyfforddi agosa o'n i isho mynd. Nes i ddim symud i ffwrdd i weithio. Nes i ddim symud i ffwrdd pan briodes i. Fi o'dd â'r gofal i gyd.

Rhianedd Bowen (60), Cricieth.

Tyfu

Cwstard a grefi

Ma' nain a taid yn dal i fyw fel ma' nhw 'di gneud erioed ia. Newch chi byth weld nain fi yn gneud grefi efo *Bisto* fydd hi bob tro yn neud o'i hun, ffor' hen ffashiwn. Neu cwstad, neith hi byth brynu *Birds* neith hi neud o'i hun.

Dylan Roberts (14), Caernarfon.

Henaint ni ddaw ei hunan

Alla'i ddim dychmygu bywyd ar ôl tri deg.

Heledd Jones (21), Dolannog/Caerdydd

Marlis Jones a'i brawd a'r drip Ysgol Sul i'r Rhyl, *c.* 1940.

Erbyn hyn mae'r profiad o fod yn blentyn wedi ei weddnewid o'r hyn oedd o ar ôl y rhyfel cyntaf. Rydym wedi brasgamu o gyfnod o gyfradd uchel o farwolaethau ymysg plant – a dim ond tlodi, diffyg addysg a llafur caled yn disgwyl y rhai oedd yn goroesi – i gyfnod sydd, ar y cyfan, yn cynnig moethusrwydd a phob cyfle posibl, i'r mwyafrif o blant. Rydym yn byw mewn cyfnod pryd mae plant yn colli eu diniweidrwydd ac yn dysgu am ddirgelion tyfu i fyny yn ifanc iawn. Rydym wedi cefnu ar gyfnod pryd oedd rhaid i blant dyfu i fyny dros nos wrth gael eu llusgo o'r ysgol i berfeddion pwll glo neu i weini yn y plas. Mae'r cyfnod pryd oedd un neu ddau o deganau yn drysorau rhyfeddol wedi eu gwneud â llaw bellach yn rhan o hanes ac mae'r rhan fwyaf o blant bellach yn cael cymaint nes bod y papur lapio a'r bocsys gwag yn cynnig mwy o her i'r dychymyg na'r cynnwys drudfawr.

O oroesi ei blentyndod gallai dyn ar droad yr ugeinfed ganrif ddisgwyl byw nes ei fod yn 49. Gallai dynes fwynhau tair blynedd arall a disgwyl cyrraedd 52. Yn 1900 roedd un o bob ugain o bobl dros chwe deg, bellach mae un o bob pump dros drigain. Erbyn hyn fe all dyn ddisgwyl gweld ei ben blwydd yn 73 a dynes ei phen blwydd yn 79. Gall pobl mewn oed bellach ddisgwyl mwynhau ymddeoliad hir a bywiog, maent yn ail gydio yn eu haddysg ac mae rhai yn gallu cymryd rhan allweddol ym magwraeth eu wyrion a'u gorwyrion sydd â'u rhieni yn gweithio.

Mae'r rhai sy'n wyth deg oed ar ddiwedd y ganrif wedi gweld newidiadau na fyddai neb wedi eu dychmygu pan anwyd hwynt. Dyma brofiad rhai o dyfu a thyfu'n hŷn yn ystod y ganrif hon.

RAJ

Tyfu lan

Y cof sydd gyda fi o blentyndod yw mod i'n perthyn i'r oes ôl-ddiwydiannol, mod i'n chware ar y tipie glo, sglefrio lawr y tip glo ar bishyn o sinc, ro'dd tip glo yn ymyl y tŷ o'dd yn mud losgi a'r mwg yn dod lan trwy'r cae. Pethau hudolus felly.

Y pwynt nes i dyfu lan o ran Cymreictod o'dd pan es i i Glan Llyn a fuon ni ar drip o Glan Llyn o gwmpas gogledd Cymru ar y bws gyda Dafydd Iwan, o'dd yn swog yn Glan Llyn ar y pryd. Aethon ni hebio i Tryweryn a r'odd y dŵr hanner ffordd i fyny'r tai. O'ch chi'n gallu gweld lan llofft, oeddech chi ddim yn gallu gweld lawr llawr, ro'dd e dan ddŵr. Dyna pryd dyfes i lan o ran Cymreictod, pan sylweddoles i fod cartre rhywun wedi cael ei foddi er mwyn rhoi dŵr i wlad estron. O'dd e'n ysgytwad mawr i mi.

O ran tyfu lan yn rhywiol na'th hynny ddim digwydd nes o'n i yn y coleg yn y chwedege a'r oes seicodelic honno.

Pryd nes i dyfu lan go iawn o'dd pan fu farw nhad a sylweddoles i mod i wedi colli'r peth pwysicaf yn fy mhlentyndod.

Siân Thomas (49), Castell y Rhingyll.

Ofnau plentyndod

U n peth oedd yn gofidio fi yn fy mhlentyndod oedd pwy mor hir fase nhad yn byw. Pan o'n i'n saith mlwydd oed oedd nhad wedi cael gwybod bod llwch glo ar ei ysgyfaint e. Rwy'n cofio dod yn ôl o'r ysgol gynradd a cyrraedd y tŷ a gweld mam yn llefen a nhad yn dala rownd i mam ... roedd y canlyniade wedi dod trwodd fod y llwch ar nhad a roedd ryw fenyw wedi dweud

Pentref Capel Celyn cyn iddo gael ei foddi i greu Llyn Tryweryn, 1956. Llun Geoff Charles, trwy garedigrwydd y Llyfrgell Genedlaethol.

Arwel Michael a'i rieni adeg ffilmio *The Silent Village*, 1942.

wrth mam, 'bydd e ddim yn hir nawr'. Ond yn ffodus cadwon ni nhad nes bod e'n saith deg naw oed. Ond roedd gwythïen o'r teimlad yna yn mynd trwy'n blentyndod i.

Arwel Michael (58), Pen-rhos, Ystradgynlais.

Pres pocad

O'n i'n cael dim dima o bres pocad pan o'n i'n tyfu fyny. Ma' 'na dipyn o wahaniaeth rhwng hynny a be sy' gyn i i roid i 'mhlant. Fatha oeddan nhw efo fi penwsnos dwytha. Er mod i'n rhoid y *maintenance* bob wsnos, o nos Wener i bnawn dydd Sul o'n i 'di gwario saith deg punt arnyn nhw ar fanion –

pictiwrs, bwyd, *popcorn, chips*. Pan o'n i'n fach, 'runig ffordd o'n i'n cael rhyw fath o bres pocad o'dd mynd i'r siop dros bobol.

Selwyn Jones (38), Tudweiliog.

Gwaith fferm

O'n ni'n gweitho ar y fferm ers pan o'n ni'n blant. Ar ddydd Sadwrn o'dd rhaid sgubo'r clôs a torri digon o goed nes bod dydd Sul. O'dd dim gwaith i fod ar ddydd Sul. O'n i ddim i fod i chwibanu ar ddydd Sul. O'dd mam yn mynd i'r Eglwys yn rheolaidd – o'dd nhad ddim yn mynd i'r Eglwys o'dd rhaid iddo fe wneud gwaith y fferm a cadw llygaid ar y cino i wneud siwr ei fod e'n ffit i'w fwyta pan ddaethe mam yn ôl. O'n i'n gallu godro'n ifanc iawn. O'n nhw'n cadw hwch i ddod â moch bach. O'n i'n gorffod bugeilio honno i ddod â moch bach pan o'n i tua saith. O'n i'n iste ar stôl fach deirtrod yn y twlc a lamp fwyda, lamp oil, rhyngt eich coese yn cadw llygad ar yr hwch. O'n nhw'n dod â cymaint â pedwar ar ddeg o foch bach ac o'ch chi'n watsiad nad o'dd hi ddim yn gorwedd ar eu penne nhw.

Caradog Jones (82), Brechfa.

Blondie

Dwi'n cofio, a finna' tua pedair ar ddeg, bymtheg, *stereogram* gyn mam efo Tony ac Aloma a Jac a Wil, a phetha' fatha *new wave* a *punk* yn dwad i mewn. O'n i'n gweithio drwy'r ha', o Pasg 'mlaen, ar ôl ysgol a bob dim, a safio hynny fedrwn i bob tro i brynu *Sanyo Record Player*. Oeddat ti'n agor y caead plastig, o'dd gyn ti dâp ar un ochor, y *turntable* ar y llall a radio ar hyd 'i gwaelod hi, a meddwl y byd ohoni hi. Y record gynta' i mi brynu erioed oedd 'Parallell Lines', gyn Blondie, a gwrando a gwrando arni ddydd a nos.

Selwyn Jones (38), Tudweiliog.

Lipstick ar dy goler

Dwi'n cofio fy ffrind yn anfon fy *lipstick* cyntaf i mi mewn amlen drwy'r post. A dwi'n cofio'i wisgo fe ar ôl mynd allan trwy'r drws. Nes i ofyn i mam allen i ddefnyddio *mascara*, ond na. O'n i'n mynd yn ofnus wedyn. O'ch chi'n gwneud pethe ar y slei. Dwi 'di ceisio magu 'mhlentyn i i fod yn hollol

Teulu Martha Morgan wrth y gwair cwta, 1955.

Siân Thomas ym mhantomeim y Geltaidd, Cymdeithas Gymraeg Prifysgol Cymru, Aberystwyth, 1970.

agored, fydden i'n beirniadu a mynnu cael safone a parch ag ati ond o leiaf fydden i'n sgwrsio a trio rhesymu.

Rhianedd Bowen (60), Cricieth.

Cicio'r tresi

O'n i'n wrthryfelgar yn fy arddege, mae o'n rhan o dyfu i fyny. O'n i ishe gwisgo sgert mwy byr nag o'dd yn weddus achos cyfnod y sgert mini o'dd e, ond pan ych chi â clunie fel fi ddylech chi ddim bod yn gwisgo sgert mini o gwbl! Ishe gwisgo *make-up* ac ishe bod allan yn hwyr a dod â dynion o'dd ddim yn addas o gwbwl yn ôl i'r tŷ. Arbrofi gyda ffinie yw e. Chi ishie gwybod pa mor bell allwch chi fynd, ishie gwybod ble mae'r ffin, dim ond drwy ddarganfod ble mae'r ffinie allwch chi dyfu lan i fod yn oedolyn cyfrifol.

Siân Thomas (49), Castell y Rhingyll.

Strrrreessss!!

Ma'r cameras yn *followio* chi i bob man. Ma' nhw yna ar bob cornal yn gwatsiad bob *step*. Ma' bob dim yn *stress*. Ysgol, gwaith, bob dim. Ma' gynna fi lwmp o waith cwrs i roid i Miss Angharad fory, dwi ddim yn gwbod lle i ddechra arno fo. *Stress* ydi bob dim, ysgol, dre, be sy' 'na i neud, pobol – *stress*!

Kevin Bohana (16), Caernarfon.

Smôcs a shallots

O'dd un bachan a'i chwâr yn dod o Nant y Ffin ac yn cerdded i'r ysgol. O'n ni'n ffrindie mawr ni'n dau. O'n ni'n dod yn ôl o'r ysgol ac yn prynu pacyn bach o Woodbine – pump – yn y siop ac o'dd y siopwr yn rhoi nhw heb ofyn dim. O'n i'n smoco rhai a cwato'r *rest* mewn bocs yn y clawdd. Ro'n i'n

64

Plant ysgol Pen-y-groes, Llanelli, *c.* 1930.

planu *shallots* yn y clawdd, dyfith hen shalotsyn yn bobman. Beth o'n i'n neud wedyn wrth bod ni'n smoco rhain, cyn mynd gartre, o'dd tynnu pishyn o shalotsyn bant a'i gnoi e i ga'l twli'r *sent* bant!

Caradog Jones (82), Brechfa.

'Sgum'

Es i i ffwrdd i'r ysgol yn wyth oed, roedd e'n beth syfrdanol o bwysig i mi. Roedd e'n hunllef o beth, y teimlad o unigrwydd llwyr. O'n i'n anhapus iawn yn y *prep school*. A dweud y gwir nes i geisio lladd fy hunan, roedd e'n gyfnod tywyll tu hwnt. Serch hynny nes i ennill ysgoloriaeth i ysgol Amwythig. Dwi'n credu bod pethe wedi newid yn sywleddol ers fy amser i. Ond am y ddwy flynedd gynta' o'ch chi'n 'sgum' neu'n 'douls' o'r gair Groegaidd 'doulos' –

'caethwas'. Erbyn i ni wedyn ddod yn uwch lan yn y system ro'dd y chwedege yn eu hanterth a buon ni ddim yn fodlon derbyn y peth. O'n i'n dweud, 'oherwydd ein bod ni wedi mynd drwy'r system yma does dim rhaid i blant eraill ddiodde'r un peth'.

Dwi'n siwr bod llawer o brobleme, y math o brobleme sydd ymhlith rhai gwleidyddion, er enghraifft, yn deillio o'r math annaturiol yma o fagu plant. O'dd hoywder yn elfen amlwg iawn, o'dd rhai, yn enwedig falle y plant bach golygus, o'n i'n ffodus o'n i ddim yn olygus, yn cael eu galw'n 'tarts', wedyn o'dd rhai o'r plant hŷn yn eu defnyddio nhw. Roedd rhai pethe erchyll yn digwydd.

Patrick Thomas (47), Brechfa.

Dynes Safin

Mam oedd y fistres fawr. Beth oedd hi'n gweud oedd yn mynd. Ro'dd fy nhad yn ddyn tawel iawn. O'dd hi'n fenyw safin iawn, cadarn, cryf. Ond doedd hi ddim yn un dros ysgol. O'n i'n awyddus iawn i ddarllen a dysgu. Ond 'sa mam yn fy ngweld i'n cydio mewn llyfr sai'n ffeindio rhywbeth i mi wneud.

Sylvia Johnson (80), Tal-y-bont.

Mam

O'dd mam yn weithgar ac yn sgolar ond o'dd hi'n *reserved* iawn. O'dd 'da hi ffrind o'dd wedi dysgu gyda hi, a'r ddwy ohonyn nhw yn *qualified teachers* – o'dd rhai *teachers* ers talwm yn *article sixty eight*, o'n nhw heb baso i fod yn yr ysgol o gwbwl – wedyn o'dd *uncertificated* a *certificated* a dyna o'dd fy mam a'i ffrind. Fydda mam byth yn gwneud jôc na dim. Fydda mam yn darllen 'Grey's Elegy' i ni neu Shakespere, neu Tegla. Ond ddysgon ni lot am fywyd gyda ffrind mam. O'dd hi'n dweud jôcs.

Gaynor Tiplady (87), Pen-bre.

Pwysau gwaith

Dwi'n poeni eitha tipyn am gael swydd. Mae hwnna yn mynd i liwio'r dyfodol mewn ffordd. Mae coleg yn gystadleuol iawn. Dach chi'n teimlo dyledswydd i wneud yn dda. Achos nad oes yna ddim grantiau mae'ch rhieni chi'n talu lot mwy i'ch cadw chi'n coleg. Mae yna lot o gystadleuaeth yn y dosbarth. Unwaith dach chi wedi cael gradd mae'n rhaid gwneud mwy – MA neu rywbeth, mae lot o bwysau i wneud hynna. Pwysau i gael swydd sy'n mynd i

Mam Gaynor Tiplady a'i ffrind yn *'pupil teachers'* yn ysgol Pen-bre.

Heledd Jones a'i ffrindiau yn graddio, 1999.

ddangos eich bod chi wedi cael gradd –
mae lot yn gweld hynny fel ffactor.

Heledd Jones (21), Dolannog/Caerdydd

Yn y Coleg efo Carlo

O'n i'n y coleg efo'r Tywysog
Charles, cyfnod yr Arwisgo a
cyfnod protestio mawr, cyfnod lle'r o'dd
Cymdeithas yr Iaith yn rhan bwysig
iawn o mywyd i. Os oeddech chi'n
mynd i weld nyrs y coleg, dau beth o'dd
hynny'n awgrymu, asprin am gur pen
neu'r bilsen fel eich bod chi'n gallu
mynd allan a mwynhau eich hunan. Fuo
ni'n gwneud tipyn o arbrofi. Beth arall
sydd i wneud yn Aberystwyth yng
nghanol gaeaf, ond dynion a diod ac
ambell i bwff bach o wair o'dd yn cael ei
dyfu lan yn y mynyddoedd o gwmpas

Aberystwyth?

Siân Thomas (49), Castell y Rhingyll.

Grantiau

D ach chi mor ddibynnol ar eich
rhieni erbyn hyn. Dwi'n cael y
grant ucha posib a 'di hwnna ddim yn
cyfro'r rent.

Heledd Jones (21), Dolannog/Caerdydd

Bant i'r coleg

A untie a'th a fi bant i'r coleg yn
Llunden. Beth o'dd yn poeni fi
o'dd fod mam wedi sgrifennu at *Principal*
y coleg a dweud mod i erioed wedi bod

67

Marlis Jones yn 'iwnifform' y Coleg Normal, *c.* 1957.

Mae rhieni nifer heleth o'r ieuenctid yn gwneud yn siwr eu bod nhw yn mynd wrthi hi yn yr ysgol ac yn cael addysg dda ac oherwydd hynny ni'n colli nifer helaeth o'n pobl ifanc yn Cwmgïedd oherwydd pan mae nhw'n mynd i'r coleg ni'n colli nhw am byth wedyn oherwydd mae nhw'n gwasgaru ar hyd Prydain. Ni'n gweld y golled hynny yn yr ardal oherwydd mae pobl yn dweud, 'dyw mhlant i ddim yn mynd dan ddaear mae nhw'n mynd i gael rhywbeth yn well na beth y'n ni wedi gwynebu'. Trwy hyn, trwy wellhad eu plant, fel'ny mae nhw'n colli'r plant hefyd yn y pen draw.

Arwel Michael (58), Pen-rhos, Ystradgynlais.

Darllen da

O'n i yn ysgol y babanod ac fe a'th y prifathro reit drwy'r ysgol i ffeindo mas pwy o'dd yr un o'dd yn darllen ore – a fi o'dd honno. Tamed bach o'n i, ond o'n i'n gallu darllen. A'th e a fi trwy'r ysgol – ond be chi'n feddwl nath fy ffrinde i? Ma' nhw'n nôl bwli o'r ysgol top a dod a'r bwli lawr i sgwâr Pen-bre i ymladd 'da fi am mai fi o'dd yr un o'dd yn darllen ore.

Gaynor Tiplady (87), Pen-bre.

Dojio

Gas gyn i ysgol. Mae o'n rhoid lot o *stress* i chi ia? Ma' 'na llwyth o bobl yn dojio. Heddiw 'ma dau *lesson* allan o chwech nes i, nes i dojio pedwar ohonyn nhw. O'n i'n chwara ffwtbol am

allan o Gymru. Se'n i'n gwybod 'na, fydde hi wedi bod *off* 'ma. Pan es i i'r coleg ges i fynd at y *Principal* i wneud yn siwr fy mod i'n iawn. Ond o'n i'n hapus iawn yn y coleg a meddwl mod i riod 'di bod mas o Gymru ac yn mynd i Lunden o bob man. Ond o'dd e'n goleg neis, strict iawn, o'n i'n ca'l mynd allan yn y prynhawn ond ddim yn y nos o gwbwl. Mynd i'r capel bob dydd Sul, yn Wimbledon, capel mawr Wesle.

Gaynor Tiplady (87), Pen-bre.

Brên drên

pedair awr. O'dd na lot ohonan ni yna *at least sixteen, twenty.*

Dylan Roberts (14), Caernarfon.

Sticio'i allan

Fyswn i ddim yn gadal ysgol rwan. Dwi 'di dechra rwan do. Be di'r *point* gadal ia? 'Swn i'n ca'l gadal rwan 'swn i ishio achos dwi yn un ar bymtheg. Naethon nhw ofyn i mi os oeddwn i ishio mynd i'r coleg yn yr *army* dim llawar yn ôl a nes i ddeud na. Be 'di'r *point*? Dwi 'di gneud un ar ddeg blwyddyn yn 'rysgol be 'di'r *point* gadal ar y blwyddyn dwytha? *Easy way out* ydi

hynna ia. *Might as well* i mi orffan, gneud *exams* a *pack my bags and leave.* Fyswn i ddim yn gadal rwan dwi ddim mor *stupid* â hynna.

Kevin Bohana (16), Caernarfon.

Parchedig ofn

Tri dyn o'n i ofon yn grwt, Jenkins y plisman, Bowen Bethlem a Jones Libanus.

Percy Lloyd (76), Pwll.

Diffyg parch

Gaynor Tiplady a'i dosbarth ym Mhorth Tywyn yn dathlu diwedd y rhyfel.

Y Parch. William Roberts, Rhos-y-bol.

Fydda'r wialen fedw ar ben y cloc pan o'n i'n blentyn. Fydda 'na un yma hefyd ond jyst i ddeud ei bod hi yno, dwi ddim yn meddwl ein bod ni erioed wedi ei hiwsio hi chwaith. Ond os fyddwn i'n gwneud rhywbeth o'i le pan oeddwn i'n blentyn fyddwn i'n ei chael hi, pan fyddwn i'n rhegi neu rywbeth felly. Mam oedd y disgyblwr. Dwi'n cofio cael chwip din unwaith. Dwi'n cofio cymydog i ni, Huw oedd ei enw fo, yn cerdded fyny'r ffordd a finne'n dweud, 'dacw Huwcyn yn dod'. Ges i chwip din am hynny. Diffyg parch.

Emlyn Evans (69), Llansannan.

Gwialen fedw a slipar!

O'dd 'na wialen fedw uwchben lle tân, doedd neb yn cymryd sylw ohoni, ond pan oedd 'nhad yn dwad efo'i slipar, roedd 'na drwbwl wedyn!

Selwyn Jones (38), Tudweiliog.

Un parod ei gansen

O'dd y prifathro yn chwannog i ddefnyddio'r gansan. Dwi'n credu 'i fod o'n ordro mwy o gansenni oddi ar y Cyngor nag o'dd o o gopi bwcs!

John Ellis Williams (74), Llanrug.

Cansen bob dydd

O'n i'n gwerthu lla'th yn groten a mynd i'r ysgol yn hwyr a ca'l cên bob dydd am fod yn hwyr. O'n i'n gadel y stên a'r dobyn a'r peint yn un o'r tai ar bwys yr ysgol i'n fam-gu orffen y rownd.

O'n i'n meddwl mai'r brifathrawes o'dd y ddynes gasa yn y byd. Dododd fy mam i i fi fynd i'r ysgol yn deirblwydd oed. O'n i wedi ca'l borden a tipyn o glai ac o'n i i fod i wneud asyn – *donkey* medde'r hen brifathrawes. 'Ma fi'n dechre nawr a gwneud pen a choese a chwt ond do'dd dim ar ôl i wneud y part arall. Dyma hi a'i bys yn fy nghefen i a mhwnio i, do'dd 'da fi ddim gair o Saesneg yn mynd i'r ysgol a do'dd hi ddim yn gadel i mi ollwng gair o Gymrâg ond doeddwn i ddim yn gwybod y gair '*body*'. Tra bues i gyda'r hen brifathrawes 'na dim ond meddylie cas o'dd gen i amdani!

Gaynor Tiplady (87), Pen-bre.

Y Cleo

Ybygythiad mawr ers talwm, os oeddan ni'n blant drwg, oedd cael ein gyrru i'r Cleo. Llong plant drwg oedd ar yr Afon Menai. Borstal ar y dŵr oedd y Cleo.

John Ellis Williams (74), Llanrug.

Bonclust

Nach chi wahaniaeth rhwng disgyblaeth heddiw ac fel oedd hi. O'n i'n y *class* mwya rwan a Robaits sgŵl wedi mynd allan o 'no i rwla, a mi a'th hi'n ddrwg rhwng Emlyn Bryn Deinol a finna. Mi a'th hi'n ffeit a phan ddoth y sgŵl yn 'i ôl o'dd ein trwyn ni'n dau yn gwaedu. Na'th o'm gofyn be o'dd 'di digwydd na dim. Roddodd o fonclust i mi nes o'n i dan y fainc. Gyda'r nos o'n i wrth y bwr' bwyd a nhad yn gofyn i mi be o'dd yn bod, 'nghlust i sy'n boeth', medda fi. 'Be nes ti iddi?' 'Mr Robaits sgŵl roddodd beltan i mi.' 'Ches ti mo'ni am ddim ma'n siwr!' Dim cydymdeimlad na dim. Dim rhedag i'r ysgol fatha ma' nhw heddiw.

John Ellis Morris (85), Deiniolen.

Cerrig milltir

Yn ddeugain oed o'n i'n meddwl mod i wedi cymryd cam mawr ond eto do'n i ddim yn teimlo'n hen. O'n i'n mwynhau bod yn hanner cant oherwydd mod i'n hen efo pobl fengach ac eto efo pobl hŷn o'n i'n ifanc! Dwi'n drigain oed rwan ond dwi ddim yn teimlo lawer iawn hŷn. Runig beth ydi mod i'n cael

Mam-gu Gaynor Tiplady wrth ei gwaith yn gwerthu llaeth.

concessions rwan i fynd i lefydd gyn belled â bod fy ngherdyn bach pinc i gen i.

Marlis Jones (61), Llanbryn-mair.

Tad-cu ddim mor hen

Ddywedodd y groten leia 'ma, ma' hi'n ddeuddeg oed, 'ti'n gwybod dad-cu, weden i byth bod ti'r oedran wyt ti!'. Fydda i'n mynd â nhw yn yr haf i'r gwahanol barcie 'ma a ymuno gyda nhw yn y gwahanol bethe. Os 'yn nhw ar y *go-carts* fi ar y *go-carts* gyda nhw a mwynhau e!

Dilwyn Davies (71), Gors-las.

Marlis Jones a'i brawd yn barod i fynd i'r Ysgol Sul, 1940.

Hen yn ifanc

O'dd dynon y gweithie glo yn hen yn forty, forty five a fifty. O'n nhw wedi cael cymaint o waith o'dd e wedi gwneud nhw'n ddynon hen. Bydden nhw wedi eu plygu 'da'r gwaith. O'n nhw'n ifanc mewn oedran ond yn hen mewn corff. O'n nhw'n methu cerdded o fan hyn i fan co oherwydd y chest. Allech chi gnoco ar bob drws o tŷ ni lan i'r pentre a gweddwod fydde 'na, fydde'r dynon wedi marw neu o'n nhw ddim yn gweitho, silicosis arnyn nhw, neu'n ffili gweld achos stagmas.

David Giraldus Cambrensis Morgan (77), Pen-y-groes, Llanelli.

Hasbins

Wy' newydd orffen gwneud gradd mewn ysgrifennu creadigol. Mae'n stwff i yn rhy henffasiwn. Does dim pwynt danfon e i'r cyfrynge achos pobl thirty something sy'n rheoli'r cyfrynge'n llwyr erbyn hyn, chi'n gallu gweld hynny wrth y rhaglenni sydd ar y teledu. Wy'n teimlo bod carfan helaeth o'r gymdeithas yn dweud, 'wy'n hasbin', a wy' ddim yn hapus am hynny achos wy'n teimlo fod gen i rhywbeth i'w gynnig i gymdeithas.

Siân Thomas (49), Castell y Rhingyll.

Ymddeol a dim i neud

O'n i'n gweld colli ffrindia yn ofnadwy ar ôl reteirio gynta. Dodd gynna'i ddim byd i neud ar ôl reteirio, dim ond yr ardd. Dwi 'di reteirio ers saith mlynadd rwan. Ma' 'na amball i wsnos lle nad a'i i ddim i nunlla ond yr ardd.

Owen Edwards (72), Caergybi.

Ymddeoliad difyr

Yr amser difyrra dwi 'di gael yn f'oes ydi ers pan dwi 'di ymddeol – ma' pob diwrnod yn rhy fyr. Rhyddid i neud be fynnoch chi. Fydda'i 'di cael ugain mlynedd Dolig.

John Ellis Morris (85), Deiniolen.

Cenhedlaeth y mileniwm

Does neb 'di gweld bywyd fatha dan ni 'di weld o. Generation ni ar yr

Teulu Percy Lloyd, ei fam sydd yn sefyll.

Oes aur

Wy' braidd yn meddwl fod fy oes i wedi cael y cyfle gore mewn bywyd. Wy' ddim yn gweld pobl yn mwynhau bywyd nawr, ma'r *pressures* 'ma ar bobl. Pryd o'n i mewn gwaith o'ch chi'n siwr bod gwaith 'da chi. Ma'n drueni, ma' cymaint o bobl heddi wedi prynu tai heb wybod, hyd yn oed yn y swyddi gore, p'run ai yw yfory yn ddiogel gyda nhw.

Dilwyn Davies (71), Gors-las.

Sylvia Johnson ar un o'i theithiau yng ngogledd Affrica.

amsar dan ni 'di hitio fo. Dan ni'n ifanc a dan ni 'di gweld bob dim. Gormod. Y dre ydio. Y bobl sy' yn y dre. Nhw sy' *leadio* chi iddo fo. Ma' drygs yn bob man rownd y dre 'ma a 'sneb yn gweld nhw.

Ma' 'na lot o ddrygs yn mynd rownd y lle 'ma. Gormod o ddrygs yn mynd rownd y lle 'ma. Dan ni 'di gweld bob dim. Dwi 'di bod ar dôp fy hun. Dwi 'di stopio rwan ia. Pan o'n i'n smocio fo o'dd brên fi 'di chwalu, o'n i'n methu canolbwyntio ar gwaith ysgol fi. O'n i'n mynd rownd dre, o'n i'n ffraeo efo mets fi, o'n i'n cael *mood swings*, o'n i'm yn byta. Dwi ishio mynd o'r dre 'ma.

Kevin Bohana (16) a Dylan Roberts (14), Caernarfon.

Rhwng gŵyl a gwaith

Cyn bod tractor

Ymwynhad mwya' yw aredig â phâr o geffyle. Chi'n gweld y gŵys yn agor o'ch blaen chi. Pan chi ar y tractor chi'n gorfod sgriwio'ch pen rownd i weld be sy' tu ôl i chi, ond wrth bod chi'n mynd â ceffyle gan bwyll ac yn ara' chi'n gweld y gŵys yn troi ac yn mynd iddi lle.

Rowena Snowdon (83), Rhyd-y-fro.

Cystadleuaeth aredig â cheffylau gwedd. Llun P. B. Abery, trwy garedigrwydd y Llyfrgell Genedlaethol.

Mae meddwl am yr esblygiad sydd yna rhwng ceffyl a chombein yn siwr o grynhoi yn bur daclus y gwahaniaeth mae technoleg wedi ei wneud i ddiwydiant yng Nghymru, ers yr Ail Ryfel Byd yn enwedig. Yn syml mae gweithlu llai yn gallu cynhyrchu mwy, boed hynny'n dad a merch yn gweithio fferm ble byddai dau neu dri o weision ychwanegol cynt, neu un person ar gyfrifiadur yng nghefn gwlad yn cynhyrchu cyhoeddiad safonol fyddai wedi gofyn arbenigedd gwasg gyfan ddeng mlynedd yn ôl.

Mae technoleg wedi gwneud gwahaniaeth i'n horiau hamdden ni hefyd. Y peth cyntaf mae llawer yn cofio'i weld ar deledu, a hynny ar un sgrîn fechan aneglur, yw coroni'r Frenhines ym 1952. Bellach mae cymaint o ddewis o sianeli nes bod perygl i ni wario ein holl amser yn syllu ar y teledu yn chwilio yn hytrach na gwylio. Y cyfrifiadur yw'r teclyn arall sy'n llond pob lle a phresennol ymhob man, ac unwaith y daw hi'n gyffredin gweld teledu a chyfrifiadur yn un, fydd dim rhaid symud o'r naill ystafell i'r llall hyd yn oed. Ond a yw'r cyfrifiadur sy'n hwyluso cysylltiadau rhwng pobl o bob cwr o'r byd yn ein gwneud ni'n greaduriaid mwy cymdeithasol neu'n unigolion mwy ynysig fyth, a beth fydd effaith y gagendor rhwng yr unigolion hynny fydd yn gallu fforddio'r dechnoleg a'r rhai fydd ddim?

Roedd un o'r cyfranwyr i'r bennod hon yn ddeuddeg oed cyn iddo fentro o Frechfa i Gaerfyrddin am y tro cyntaf, mae un arall sydd yn ddeunaw ar hyn o bryd eisoes wedi newid aelwyd tua hanner dwsin o weithiau, o'r gogledd pell i gymoedd y de. Mae cyfranwraig arall ar ras rownd y byd efo'i chwaer, am y cyntaf i droedio pob cyfandir ac am y gorau i gynyddu cyfanswm y gwledydd yr ymwelwyd â nhw. Does dim dwywaith nad yw'n hamser chware ni wedi newid dros y blynyddoedd ond eto mae rygbi, snwcer, pêl droed, golff a thyfu llysiau yr un mor boblogaidd heddiw ag y buon nhw erioed.

Dyma rai argraffiadau o chwysu a chwarae yn yr ugeinfed ganrif.

RAJ

Crefftwr yw crefftwr

Does dim byd yn sefyll yn ei unfan.
Ma'n rhaid i ni symud mlaen.
Dwi'n gyfforddus efo'r pethe newydd
ond roedd crefftwr ers talwm yn gneud
ffenest, ma' nhw bellach yn dod yn *mass
produced*. Dach chi ddim yn llai o
grefftwr. Ma'r hogie ifinc sy'n dod i
mewn rwan ac yn dysgu'r grefft,
crefftwyr yn eu hamser ydyn nhw, dim
ond gobeithio y bydden nhw'n
gwerthfawrogi crefft oes o'r blaen.

Gwilym Davies (54), Waun, Nantglyn.

Gwerth llechi

Oeddach chi'n neud yr hen lechi
'ma. Oeddach chi'n neud y rhei
lleia, y rhei naw wrth bedwar a hanner,
ceiniog a dima oeddach chi'n gael am
neud *hundred and sixty four* ohonyn nhw.

Heddiw ma' nhw tua chwech, saith,
bunt yr un. Dydi llechan werth dim byd
i mi hyd heddiw, dach chi wedi cael ych
bara beunyddiol ohoni ond eto does
gynnach chi ddim llawer o gariad tuag
ati – ma' cymaint o'r hogia 'ma wedi
mynd efo'r llwch.

John Ellis Morris (85), Deiniolen.

Rhagor o waith llai o weithwyr

Pan o'n i'n mynd lawr i weitho i
gwmni Ford am y tro cyntaf, ddim
yn bell o dri deg mlynedd yn ôl, roedd
bythti 2,500 yn gweitho yno. Erbyn hyn
mae bythti mil yn gweitho yno a ni'n
cynhyrchu fwy o lawer nawr na beth o'n
i'n cynhyrchu adeg hynny.

*Arwel Michael (58), Pen-rhos,
Ystradgynlais.*

Teulu Gaynor Tiplady yn cywain gwair ger Cefn Sidan.

Rhai o griw chwarel Dinorwig ar ddechrau'r ganrif. Tad J. E. Williams sy'n sefyll ar y dde.

Hollti blew

Mae'r peiriant rwy'n defnyddio nawr, ma' laser arno fe, a'r laser sy'n allweddol i pwy mor agos a cyson mae'r peiriant yma yn mesur. Ni'n mesur lawr i 0.0000001 o filimeder. Mae hwnna'n fach iawn, iawn. Mae blewyn gwallt ar gyfartaledd yn mesur 0.05 mm, 'sach chi'n torri blewyn gwallt lan bump gwaith, cymeryd un o'r darne yna, torri hwnna lawr deg gwaith, cymeryd un o'r darne yna a torri hwnna lawr deg gwaith eto – dyna faint y laser!

Arwel Michael (58), Pen-rhos, Ystradgynlais.

Creu argraff

Pan ddes i yma ges i *Gestetner* i droi mas cylchgrawn y plwyf, o'dd e ddim hyd yn oed yn un lectrig, o'n i'n troi'r peth mas gyda llaw. Erbyn hyn wrth gwrs mae llungopïwr i gael gyda ni. Mae cyfrifiadur i gael gyda ni, serch bod ni ddim ar y we, mae hynny wedi gwneud gwahaniaeth mawr. Fe fyddai'n anodd iawn i mi wneud gwaith y plwyf heb rhain, yn enwedig y llungopïwr. Mae disgwyliade'r plwyfolion yn codi hefyd, mae nhw'n disgwyl cael taflenni arbennig wedi eu paratoi ar gyfer achlysuron, mae nhw'n disgwyl i bethe edrych yn dda, mae nhw'n disgwyl cael cylchgrawn y plwyf sy'n edrych yn weddol safonol ac yn y blaen.

Patrick Thomas (47), Brechfa.

Technoleg Cefn Gwlad

Mae cwrs arbennig yn cael ei gynnal yn yr ardal hyn SIMTRA – *The Scheme for the Introduction of Modern Technology To Rural Areas*. Mae Helen y wraig wedi bod ar y cyrsiau hyn ac wedi gwneud sawl cwrs cyfrifiadur ac wedi mynd ymlaen i Landeilo i wneud cwrs pellach. Mae llawer o wragedd fferm wedi bod ar y cyrsie yma. Mae'n bosibl i redeg busnes llewyrchus o gefn gwlad erbyn hyn. Runig beth sy'n fy mecso i yw fod yna rwyg yn mynd i ddigwydd rhwng y bobl sy'n gallu fforddio'r technoleg a'r bobl sydd ddim.

Patrick Thomas (47), Brechfa.

Fy ffrind y ffôn

Ma'r teleffon yn forwyn fawr. Mae o'n gwmpeini i mi. Os bydda'i mewn ryw ddisdres dim ond ffonio Gwyn. Fydda i'n ffonio'r teulu yn Birmingham bob pythefnos. Ma' gyn i dri teliffon. Ma' gyn i un wrth ochr y gwely, ma' gyn i un yn fa'ma a ma' gyn i un yn gegin ffrynt 'na.

John Ellis Morris (85), Deiniolen.

Te'r coroni a'r teledu

Adeg y *coronation* o'dd gyda ni ryw bump teledu mewn gwahanol lle. O'n i wedi dodi un yn yr ysgolion, mewn festri capeli a wy'n cofio un yn Neuadd Pen-y-gros a o'dd y lle'n llawn a dwy deledu deuddeg modfedd o'dd gyda fi yno. Wy' ddim yn gwybod beth o'dd y bobl yn weld, o'dd rhai mor bell nôl, dim ond y ffaith bod nhw 'na wy'n credu.

Dilwyn Davies (71), Gors-las.

Arwel Michael wrth ei waith.

Y tywydd

Pwysigrwydd y radio yn ardal y ffermwyr o'dd i ga'l y tywydd. Wy'n cofio stori am un ffarmwr wedi cael radio am y tro cynta'. O'dd hi wedi dweud ar y radio fod glaw i ddod y diwrnod ar ôl 'ny a dyma fe'n dweud wrth y gwas, 'cer lawr i ffarm John Thomas a gofyn iddo fe os yw e'n dweud run peth lawr gyda fe!'.

Dilwyn Davies (71), Gors-las.

Radio cynnar

Y radio o'dd fy niddordeb cynta i. Wy'n siwr mod i wedi trafod *screwdriver* cyn mod i wedi cydio mewn cyllell a fforc. Wy'n cofio gweld rhain yn cael eu adeiladu o beth o'n i'n galw'n *kit sets*. O'dd nhad yn prynu'r *kits* 'ma, o'dd e'n cael *blueprint* ac wedyn o'dd e'n adeiladu rhain i gyd ar y *board* 'ma a naill ai gwneud y cabinet eich hunan neu o'ch chi'n prynu un. Tebyg mai *crystal set* o'dd e'n neud i ddechre, a'th e

'mlan wedi 'ny i'r rhai dwy *valve* a tair *valve*. O'dd dim *solder* amser 'ny, o'dd dim yn cael eu *soldro* yn ei gilydd, o'dd *wire* yn rhedeg o un peth i'r nall. Y Daventry 2LO o'dd y *station* gynta. Wrth gwrs doedd y *radios* yma ddim digon cryf i weitho'r *loudspeaker* felly o'n i'n gorffod ca'l *headphones* ac ar ôl 'ny dda'th y corn, felly o'dd mwy o bobl yn gallu gwrando arno fe. O'dd rhaid cael *ariel* gweddol o faint. Un peth o'dd yn bwysig iawn o'dd y *lightning arrestor*. Os digwydden ni glywed tyrfe o'dd *switch* gyda ni ar ffram y ffenest ac o'n i'n tynnu hwnnw i lawr i eartho'r *ariel* lle bod e'n dod i mewn i'r tŷ os fydde fe'n cael ei fwrw 'da llacheden.

Dilwyn Davies (71), Gors-las.

Dim teledu

Does dim teledu 'da ni. Dwi 'rioed wedi hoffi gwylio teledu. Pan ges i blant o'n i wedi penderfynu nad oedden nhw ddim yn mynd i gael teledu o gwbwl. Dwi'n falch achos ma' Lara a

Gŵyl y Coroni, 'Television a Te', Rhos-y-bol, 1953.

Nia yn arbennig o dda yn darllen. Ond ma' Lara yn dweud mai'r peth cynta' ma' hi'n mynd i neud ar ôl tyfu i fyny ydi prynu teledu. Pan oedd y plant yn ifanc oddan nhw'n wyllt. Dwi'n cofio cwyno wrth ffrind a hi'n deud, '*get a television!*'. Ma' nhw'n eistedd fan'na a ti'n gallu gneud gwaith.

Sheela Hughes (44), Llanfyllin.

Llygaid sgwâr

Radio dwy falf a thri batri, 1921.

Rwy'n gwylio teledu am ryw hanner awr yn y bore cyn mynd i'r ysgol a ryw dwy, tair awr yn y nos – *Pobl y Cwm, Tomorrow's World, Robot Wars,* na'i ddim mynd allan o fy ffordd i wylio rhaglen newyddion. Mae bron i ddiwrnod yr wythnos yn mynd yn gwylio teledu, a dyw e ddim yn gadael

Falf a thransistors ochr yn ochr â meicro sglodion.

lot o amser i waith cartref a mynd allan gyda ffrindie. Mae rhai pobl sy'n ishte o flaen teledu a gwylio beth bynnag sy' mlaen trwy'r nos a trwy'r bore a bron byth yn mynd allan ar wahân i fynd i'r gwaith.

Meirion Morgan (18), Pant, Merthyr.

Boring

W y'n credu fod technoleg yn gwneud pobl yn fwy ynysig – bod nhw'n ffeindio ffordd eu hunain i ddiddori eu hunain yn lle dibynnu ar bobl eraill. Chi'n gallu cael sgwrs gyda pobl ar y we am rhywbeth sy'n diddori chi. Os ych chi'n mynd i'r dafarn i gael sgwrs, cyn bo hir mae rhywun wedi mynd yn feddw ac yn hollol *boring* a chi'n gorffod gwneud esgusodion i fynd. Gyda'r cyfrifiadur, os oes rhywun yn *boring*, un glic fach a mae nhw wedi diflannu i ebergofiant!

Siân Thomas (49), Castell y Rhingyll.

Chwarae'r peiriant fideo …

T omb Raider, Wipe Out, Alien. Yn *Theme Park* a *Theme Hospital* rych chi'n cymryd *role* rhywun sy'n rheoli'r busnes. Chi'n gorffod prynu pethe a gwerthu pethe i neud arian. Wy'n treulio tua awr y noson yn chware. Mae'r rhan fwyaf o gemau poblogaidd yn dreisgar. Mae un gêm sydd wedi bod allan tua blwyddyn erbyn hyn, *Grand Theft Auto*, wedi cael lot o gyhoeddusrwydd oherwydd cynnwys y gêm. Chi'n mynd rownd, dwyn car, rhedeg pobl drosodd, ram raidio siope,

dwyn eiddo y siop. Y mwya chi'n dwyn neu'r mwya o bobl chi'n rhedeg drosodd y mwya o bwyntiau chi'n sgorio.

Meirion Morgan (18), Pant, Merthyr.

Bocsio

W y'n cofio'r flwyddyn gyntaf o'n i'n gwasnaethu ar fferm, o'n i'n mynd i'r ffair, fi a mhartner o'r fferm nesa a bob o hanner coron 'da ni-wedi-gofyn amdano i fynd. I starto bant aethon ni i'r pictiwrs, yn y sêt flaena, chwe cheinog. Deuswllt o'dd 'da chi ar ôl wedi 'ny. O'dd deuswllt wedi mynd cyn pen dim. O'dd *boxing booth* rownd pryd 'ny ac o'ch chi'n cael chweigen am sefyll tair rownd. Wedodd mhartner ei fod e am fynd lan. A'th e lan a bachgen y ffair yn ymladd e. Erbyn i mi droi rownd o'dd mhartner yn *covered* â gwaed. Y trwbwl o'dd o'n i di gneud *pact* i fynd lan a sharo'r arian. O'n i'm yn gwybod beth i wneud, ond o'dd rhaid 'i neud e – o'ch chi byth yn gadel neb i lawr – a sefes i dair rownd! Bues i'n bwyta bara te am bron i bythefnos ac o'dd dwy *black eye* 'da fi!

Caradog Jones (82), Brechfa.

Rhedeg, bocso a chware rygbi

P an o'n i'n grwtyn o'dd dileit ofnadw 'da fi mewn rhedeg a bocso. O'dd deg ar hugen o ysgolion, a fi o'dd y gore yn yr *eighty yards* a'r *hurdles*. Wedi 'ny o'n i'n 'ware rygbi i *Mynydd Mawr Schools*. O'n i'n 'ware *inside half*. Y siom fwya geso i amser o'n i'n yr ysgol o'dd geso i mhigo gyda Cymru i 'ware yn

Tîm Rygbi'r Emlyn Quins, 1936-7. Brawd David Giraldus Cambrensis Morgan oedd y capten.

erbyn *Yorkshire Schoolboys* a wy'n cofio cael siwt newydd i fynd lan i Leeds. Ond wy'n cofio acha un bore o'r wythnos dyma'r ysgolfeistr yn fy ngalw i mewn am air. O'dd e wedi cael llythyr gan yr *education* ac o'dd hi'n flin iawn 'dag e ond o'n i ddeg diwrnod rhy hen. Wy'n cofio mynd i lefen a ceso i fynd adra yn gynnar amser cinio.

David Giraldus Cambrensis Morgan (77), Pen-y-groes, Llanelli.

Gwneud Basgedi

O'dd fy nhad yn arfer gwneud y basgedi 'ma – o'dd e'n arfer gwneud basged mewn diwrnod, ond wy' ddim mor gyflym â 'ny. O'n i wedi dechre pan o'n i'n bymtheg oed. O gyll mae nhw'n gwneud y fasged, cawell os chi am y gair iawn. Ma'n cymryd bwythti wythnos i wneud un yn iawn. O'dd cawell yn

bwysig iawn ar fferm slawer dydd i gario tatws a maip a popeth. Naetho i un unwaith i fenyw i siglo'r babi.

Chi'n torri'r coed ddiwedd mis Hydref pan fo'r nodd wedi mynd lawr, allwch chi ddim torri yn yr haf ma'r nodd i fyny ac ma'r pren yn hollti ac yn sychu gormod, o Hydref mlaen i ddiwedd mis Mawrth. Chi'n neud un cylch chwech mis ymlaen llaw. Chi'n gadel 'senne wedi 'ny, wyth neu un ar ddeg o 'senne, un yn y cenol a pump bob ochr. Wedyn chi'n cymryd plethrys, coed cyll yw'r plethrys, ma' nhw tua modfedd o drwch. Chi'n torri *notchen* fach yn y bla'n a'i dodi hi ar eich pen-glin a dilyn y gyllell trwyddo. Chi'n codi stripyn bach a ma' hynny'n mynd i blethu i wneud y fasged. Dyw pobol ddim yn cymryd diddordeb bellach. Ddywedodd y papur ffordd hyn, *'when this art dies it will die with you'*.

Jonathan Davies (84), Pontsenni.

D. J. Williams o Gaeo wrth ei waith yn Sain
Ffagan, 1951. Llun Geoff Charles, trwy
garedigrwydd y Llyfrgell Genedlaethol.

Chwara plant

Dwi'n cofio ni'n rhoid *handbag* ar lôn, hen un mam un ohonan ni, a'i lond o gachu gwartheg, a cuddiad yn Coed Plas a gwitiad i'r ceir stopio. Oeddach chdi'n gweld nhw i gyd yn rhedag am yr *handbag* a'i daflyd o drwy ffenast y car.

Selwyn Jones (38), Tudweiliog.

Gwau sane 'mrig nos

O'dd y merched yn gwau sane ym mrig y nos. O'dd dynon yn treulio sane'n gynt pryd 'ny pan o'n nhw cerdded ar y tir tu ôl i'r gŵys ac yn dilyn yr oged. Dyw sane ddim yn treulio cyment ar gefn tractor. O'n nhw'n gwneud *cushions* a sampleri a cwilto. Ma' teledu wedi lladd sgwrs tipyn bach. Ma'r diwylliant wedi mynd yn undonnog, mae e rhy *passive*, 'dyn ni ddim yn defnyddio digon ar ein meddylie. Mae e'n caledu'r gydwybod. Ni'n edrych ar erchyllterau yn y byd heb wneud dim byd oddi amgylch iddo fe.

Jonathan Davies (84), Pontsenni.

Tally ho!

Ypethe o'n i moyn gwneud o'n i'n gallu gwneud nhw yn y Ma'rdy. Ca'l gardd ac o'dd elfen 'da fi yn y ceffyle. O'n i'n gwybod na allwn i ddim ffordo prynu tŷ nes lawr ond o'n i'n gwybod y gallwn i fyw yn Ma'rdy a cadw ceffyl a dyna beth nes i. Fages i a mrawd dau geffyl. O'n i'n mynd i hela. O'n i'n gallu ffordo hela yn y Rhondda, o'n i ddim yn gallu ffordo fe lawr yn Pentyrch a '*follow the Glamorgan*' fel ma' nhw'n gweud. Amser o'n i'n hela, gwas sifil o'n i, gweitho mewn ffatri o'dd mrawd, gweitho i'r cyngor o'dd partner arall i ni, ambell un arall yn gweitho dan ddaear. O'dd pawb yn cwrdd ar ddydd Sadwrn, dim ots beth o'dd ych gwaith chi, o'ch chi'n bartners i gyd ac o'ch chi'n mwynhau bod mas am y dydd a bod 'dach gilydd a cha'l sbort. O'dd y *gear* i gyd 'da ni. Ond pan ddechreuon ni mae'n rhaid cyfadde ma' *wellingtons* a *flat cap* o'dd hi. Ond fel o'dd y blynydde yn mynd 'mlaen o'dd y bechgyn 'ma yn dechre newid eu agwedd. O'n i'n byw fel y crachach! O'n ni ddim yn dweud *tally ho* na dim ond o'n i yn deall yr *etiquette*!

Brenig Jones (79), Maerdy.

Brenig Jones yn barod ar gyfer yr helfa.

The Pyramid Club, clwb snwcer yr oedd Percy Lloyd yn aelod ohono.

Digon o Sioe!

Amser o'n i'n blant o'dd pob pentre â sioe. Y pethe o'dd mynd mla'n! O'dd bob tric yn ca'l ei wneud. Diwrnod y sioe o'ch chi'n gweld dynon yn cerdded by'ti pump o'r gloch y bore â sache ar eu cefne nhw. Beth o'dd yn digwydd o'dd o'n nhw wedi bod draw yn gweld eu partners yn Blaenlleche i weld beth o'dd 'da nhw yn yr ardd, i weld os o'dd e'n well na beth o'dd 'da nhw. Os fydde fe, fydden nhw yn dod â fe gytre a mynd a fe i'r sioe fan hyn. Os fydde caretsen ddim yn iawn fyddech chi'n edrych am ddau, a'u torri nhw, fyddech chi'n rhoi nodwydd mewn ynddo fe a rhoi'r ddau hanner at 'i gilydd. Wedyn cael *mansion polish* a rwto hwnna yn y *join* a polisho fe. Wedyn fyddech chi'n rhoi hwnna yn y sioe a gobeitho na fydde'r *judge* ddim digon smart i weld beth o'ch chi wedi 'neud 'da fe. Rhoi un dros eu cymydog, 'na beth o'dd e. D'odd dim ots os o'n nhw'n ennill, dim ond eu bod nhw'n gwneud yn well na'r boi drws nesa!

Brenig Jones (79), Maerdy.

Dal adar

Dwi ddim yn cofio rhyw lawer o nhad, 'dita' o'n i'n galw arno fe. O'dd dileit 'dag e mewn dala adar. Dwi'n cofio mynd gydag e i ddala adar yn gynnar yn y bore cyn bod y wawr yn torri. *Goldfinches* a *Bulls* o'n i'n dala. O'n i'n dala *flock* ohonyn nhw. O'n i'n dodi rhwyd mas a *brace bird* a deryn mewn caets bach, o'dd yn tynnu'r adar lawr. Deryn byw o'dd y *brace bird*. Oeddech chi'n dodi *brace* bach am y ddwy aden a wedi 'ny o'dd y deryn yn mynd acha roden fach o'dd â tipyn bach o *spring* ynddi hi. O'dd corden 'da chi yn ôl draw, o'ch chi'n ware'r gorden a 'na le ro'dd y deryn yn ware ar hwnnw yn wistlan ac yn tynnu'r adar arall mewn. O'dd deryn arall mewn caets bach ac o'ch chi'n dodi un bob ochor i'r rhwyd. O'dd rhain yn tynnu'r *flock* lawr i'r rhwyd a wedi 'ny o'dd dita'n tynnu'r rhwyd a o'n i'n rhedeg lawr a dodi nhw yn y *bags* o'dd gyda ni. Fydda dita'n mynd i Abertawe wedi 'ny, o'dd lle 'da fe o'dd yn gwerthu nhw. O'n nhw ddim fod medde nhw, ond o'dd e'n gwneud tipyn o arian *extra* fel 'ny ta beth.

David Giraldus Cambrensis Morgan (77), Pen-y-groes, Llanelli.

Wyau

O'dd dros hanner cant o wyau o wahanieth adar 'da ni. Beth o'n i'n wneud o'dd ei wythu nhw. Ta pun 'ny o'n i wedi tyfu lan nawr, o'n i byti pedair ar ddeg mlwydd oed, welon ni nyth yn y iorwg fan'na. Diawch erioed aetho i ar gefn Wil Bach, achos odd Wil fwy stwmpus na fi, rois i'n law i mewn, odd wye 'na, so dynon ni'r wye mas, ddodes i bin yn yr wy a dyma Wil yn bwrw yn fy erbyn i a lynces i'r wy! Hwdu, paid a siarad, fues i am flynydde'n ffili byta wy.

Percy Lloyd (76), Pwll.

Sgota sach

Oddan ni'n arfer sgota efo sach. Be oeddan ni'n neud o'dd cael sach go fawr a ca'l hen olwyn beic, tynnu'r sbôcs i gyd o'r olwyn a'i phlygu hi fymryn a rhoid y sach amdani a gwnïo'r sach i'r olwyn. Mynd i'r afon a mynd i'r congla a'i rhoid hi i lawr. Fydda'r hogia erill yn dwad yn cicio'r dŵr fel cythral ar hyd y ffor'. Oddan ni'n dal pedwar neu bump o drowts bob tro oeddan ni'n rhoid hi yn y dŵr.

Owen Edwards (72), Caergybi.

Y Grand National

Dwi'n cofio ni'n chware cŵn hela, rhedeg ar ôl ein gilydd, un yn cwato fel cadno. Glywon ni wedyn ar y radio am ras fawr y *Grand National*. Wedyn dyna beth o'dd ein chwareueth ni fel plant, mynd ar gefen ryw fastwn, rhyw bishyn o bren, a rhedeg rownd y cae,

neidio'r afon, lan dros ryw riw serth a lawr yr ochr arall a dros ryw weirglawdd – dyna beth o'dd y chware! O'n i'n hoff iawn o chware hoci yn yr ysgol. O'n ni'n chware hoci wedyn 'da nhad a un o'r gweision o'dd yn digwydd galw acw. Bob o bren o'dd yr *hockey sticks* wedyn mas ar y ddôl yn chware nes bod hi'n dywyll.

Martha Morgan (54), Tregaron.

Cadw cŵn

Wy'n hoffi mynd i dreialon cŵn defed. Wy'n dysgu cŵn – ma' 'da fi sawl un eto i ddysgu. Ma' cwpwl bach o gwpane 'da fi yn fan'na. Border Collies ydyn nhw. Sdim cymint o steil 'da'r cŵn Cymreig, 'dyn nhw ddim yn gweitho mor brydferth a pert â'r Collie. Ma' fe yn ei *grouch* yn llgadu'r defed. Ma'r ci

Y tim hoci yr oedd Martha Morgan yn gapten arno, 1962.

Martha Morgan â rhai o'r cŵn mae hi wedi eu dysgu.

Cymrâg wedi 'ny a'i gwt ar ei gefen ac yn cyfarth, sdim mo'r un osgo 'da fe.

Martha Morgan (54), Tregaron.

British Bulldogs

Dwi'n cofio chware *Stick in the Mud, Tick, Kick the Can* a *British Bulldogs* yn y Cubs, o'n i'n casáu'r gêm yna achos o'n i'n fach iawn pan o'n i'n blentyn. Oedd rhaid i rywun sefyll yng nghanol y neuadd, roedd pawb arall yn rhedeg i'r ochr arall ac roedd rhaid iddo fe, yr un yn y canol, dal rhywun a'i roid e ar y llawr dwi'n credu a'i gicio fe a curo fe. Mae o wedi cael ei banio nawr yn y Scouts. Y pethe o'n i'n chwarae 'da nhw oedd *Lego, Mechano* – *Action Man* oedd yr un mawr. Geme fel *Monopoly* a pethau oddi wrth y teledu, *Thunderbirds* a *Capten Scarlet.*

Nick Davies (37), Llangrannog.

Golff

Os dwi'n mynd i wneud rhywbeth dwi'n mynd i'w wneud e'n dda. O'n i'n belongyd i glwb yn Sussex, Kent a Surrey. Chaech chi ddim chware i'r un *county* os nad oeddech chi'n *single figures*. Pasies i i chware i Kent. A'th nhw a fi rownd i wahanol lefydd i weld ffordd o'n i'n chware. Tasech chi'n chware i chwech a dano – *you were in* – ond roeddech chi'n gorfod ei wneud e'n *consistent*. Ond fe basies. Ges i fy nerbyn. Cofiwch o'n i'n gwneud dim byd ond chware golff, practeiso a chael *lessons*. Ond fe gwmpes a chael *cancer* yn fy mrest a wares i byth iddyn nhw. Fuo'n rhaid i mi fynd yn strêt i gael *opperation* a ches i erioed chware i Kent.

Sylvia Johnson (80), Tal-y-bont.

Tipit

Ma' Brechfa yn le pwysig iawn am Tipit, ma' crowd ryfedda yn Brechfa a ma' nhw'n gwneud yr arian ryfedda mas ohono fe. Ni'n dri a ma' tri goferbyn â ni a bord rhyngtho ni. Smo chi'n ca'l dewis pwy sy'n chware 'da chi, alle fod unrhywun yn chware 'da chi. Ma' botwm yn cael ei ddodi ar y ford. Yr un sy'n iste yn y canol yw'r *King*. O dan y ford ma'r *King* yn rhoi'r botwm i chi neu'r llall neu'n ei gadw fe iddo fe'i hunan. Chi'n rhoi'r dyrne ar y ford a ma' nhw, gro's y ford, yn dyfalu ble ma'r botwm. Lwc wy'n ddweud yw e ond ma rhai yn chware'n well na'i gilydd!

Caradog Jones (82), Brechfa.

Roulette

O'n i'n mynd yn y car lawr i Monte Carlo. Eso ni i'r casino un nosweth a dim ond cael chydig o *francs* i wario. Eso ni i mewn i'r *roulette*. Doedd dim lle i fi iste. Wincodd y *croupier* arna'i a dweud bod lle drws nesa iddo fe. Dyma fe'n dechre chware ei goese yn erbyn fy nghoese i. Rwan mae hynny'n golygu rhywbeth, chi'n gwybod. Enilles i, tro cyntaf! 'Where are you staying madamoiselle?', medde fe. 'Across the road', meddwn inne. 'Alla i ddod i'r gwely gyda chi nes ymlaen?', medde fe. 'Wrth gwrs', wedes i, a 'ngŵr i'n iste'n fan'cw. Peidiwch dweud wrtha fi nad ydyn nhw ddim yn gallu stopio'r whilsen 'na – ma' nhw. Wrth mod i'n gadael i hwn rwbio'i goese yn erbyn fy rhai i o'n i'n cael ennill chi'n deall? Roedd e'n cael *cheap thrill*. Es i ddim mor bell â rhoi rhif fy stafell iddo fe ond nes i ddigon o arian nosweth hynny i dalu am y *room*.

Sylvia Johnson (80), Tal-y-bont.

Marblis

O'n i'n ware *Follow Me* a *Rings*. *Follow Me* – o'dd dau ohonoch chi â bob o farblen yn dod lawr y gwter yn dilyn ych gilydd. Oddech chi'n trial bwrw marblen y boi o'ch blaen chi a ffor'na o'ch chi'n dod lawr y *street*. *Rings* wedi 'ny. O'ch chi'n gwneud *ring* yn y pridd a pawb yn dodi hyn a hyn o *farbles* mewn yn y canol a wedyn o'ch chi'n mynd yn ych tro â marblen arall a treial

Sylvia Johnson, Capten Clwb Golff y Borth ger Aberystwyth, 1980.

bwrw marblis mas o'r canol. Wedyn o'dd un arall ble o'ch chi'n gwneud *ring* bach 'dach troed. Wedyn fyddech chi'n rhoi'r *marbles* mewn yn y *ring* yna a mynd nôl ryw bump llath a treial ca'l nhw mas o'r *ring*. *Holes* wedyn. Gwneud tylle bach yn y pridd hyd ych troed oddi wrth 'i gilydd a treial ca'l y *marbles* mewn i'r tylle 'ma.

O'dd hyn a hyn o amser yn y flwyddyn i ware *marbles*. O'ch chi'n *guaranteed* i ware *marbles* amser o'dd hi'n wlyb ac yn oer, *October, November*. O'ch chi'n ware yn baw a'r glaborwch nes bydde'ch bysedd chi'n craco. Wedi 'ny fyddech chi'n dysgu shwt i wneud *shield* i fynd dros ych llaw mas o tafod hen esgid a tamed o gordyn. Yn yr haf y peth mawr o'dd hedfan *kites*, pawb yn gwneud

rhai eu hunen.

O'dd arfer bod *teams football* yn y strydoedd. O'dd dim digon o blant yn Glanville, o'n i'n ymuno 'da *Richard Street*. O'n i'n lwcus amser o'n i'n ware o'dd teulu o blant lan yn *Richard Street* – fe a'th pedwar o'r bois yna yn chwaraewyr proffesiynol.

Brenig Jones (79), Maerdy.

Cynan a Waldo

Dwi'n cofio prynu 'Mab y Bwthyn' am y tro cynta pan o'n i tua un ar bymtheg oed, tri a chwech, oedd o'n goblyn o bres i mi, ond mae o'n drysor gyn i hyd heddiw. Stryffaglio i gael o a'i ddarllen o a'i ddarllen o nes o'dd o 'di glynnyd yn 'i gilydd. Dwi 'di anghofio tipyn arno fo erbyn heddiw ond ma' pytia ohono fo'n dwad yn ôl weithia – mae o'n fendigedig. Llyfr Waldo s'gyn i rwan.

John Ellis Morris (85), Deiniolen.

Prysurdeb!

O'n i'n arfer mynd i oifad tair gwaith yr wythnos, ond achos gwaith ysgol sai'n cael lot o amser. Bob nos Iau mae gwersi cynghanedd gen i yng Ngwaelod y Garth gyda merch o'r ysgol a nghefnder i. Cwmni drama ar nos Fercher. Chwarae rygbi 'da tim cynta'r ysgol. Pethau cerddorol wedyn, a gwylio'r teledu a darllen os dwi'n cael amser. Yn Llydaw wedyn yn ystod yr haf mae mwy o amser i neud chwaraeon a gweithgareddau yn y dŵr, mae profiad 'da fi o ganwio a *body* bordo. O'n i'n

Aneurin Karadog.

Sian Thomas yn rafftio i lawr yr Afon Colorado, 1997.

arfer mynd ar deithie Edward Llwyd bob dydd Sadwrn ond mae'r gerddorfa, Cerddorfa Pont-y-pridd, bob bore dydd Sadwrn nawr. Ar ôl TGAU oedd dim byd 'da fi i wneud *so* nes i ddechre chware snwcer gyda fy ffirndie.

Aneurin Karadog (17), Ynys y Bwl.

Cyn tarmac

O'dd dim llawer o geir i ga'l. Wy'n cofio ffordd o'n nhw'n gweitho yr hewl o'dd dim tar. O'n i'n grwt ifanc yn gorffod mynd i grafu cerrig mas o'r afon â rhywbeth yn debyg i fforch a'u rhoi nhw mewn carn ar ochr yr hewl. O'dd dyn yn torri nhw wedi 'ny yn rhyw ddwy fodfedd a hanner o seis. Rheina o'dd yn mynd ar yr hewl wedi 'ny. O'n nhw'n dodi'r cerrig hyn gynta wedyn o'n nhw'n dodi'r *sand* hyn wedi 'ny a'i sgwaru e dros y cerrig. Ro'dd cart dŵr yn dod wedi 'ny a ro'dd y dŵr yn mynd dros hwnna ac yn mynd lawr rhwng y cerrig ac wedyn o'dd y *steamroller* yn dod. O'dd hi'n drychyd yn llyfn neis wrth gwrs ond o'dd hi'n torri'n rhwydd.

Caradog Jones (82), Brechfa.

Dim ceir

Do'dd 'na ddim traffig pan oddan ni'n hogia. Oddan ni'n gneud rasus top a chwip ar hyd yr A5 o Bryngwran, filltir allan heb weld yr un car.

Owen Edwards (72), Caergybi.

Teulu dau gar

Dan ni'n deulu o ddau â dau gar. Mae'r gŵr â'r car bach *sensible* – y car bach disel sy'n rhad ac yn rhwydd i'w yrru – a fi gyda'r Peugot 205 GTI 1.9 sy'n gallu gwneud cant ar y draffordd heb fod fy nhroed i unman yn agos i'r llawr. Mae e'n wastraffus iawn a dyw e ddim yn dda i'r amgylchedd o gwbwl ond jiw mae e'n gallu symud a wy'n mwynhau y drygioni o gael perchen y fath gar!

Siân Thomas (49), Castell y Rhingyll.

Ar ras rownd y byd

Mae fy chwaer a fi mewn ras – mae hi'n ennill o ran gwledydd, rwy'n ennill o ran cyfandiroedd. Fi wedi gwneud pob cyfandir ond Awstralia. Mae ngwledydd i yn y chwedege, saithdege, ond mae'n chwaer wedi bod mewn dros gant o wledydd. Oherwydd bod dim plant gyda ni a bod y ddau ohonon ni'n gweithio ym myd addysg â gwylie haf hir, ni'n treulio'n amser i gyd yn teithio dramor. Ni wedi bod mewn llawer iawn o wledydd tramor, nid ar wylie paced ond gwylie dan ni'n gwneud ein hunen.

Siân Thomas (49), Castell y Rhingyll.

Newid aelwyd bob yn eilddydd

Ges i 'ngeni yn Llanelwy wedyn aethon ni i fyw i Lanrwst, ac aros yna tan bod Hefin yn cael ei eni. Gwely a brecwast oedd fan'na. Wedyn smydon ni i lawr i Gwm Llynfell am dri mis.

Wedyn smydon ni lawr y Cwm i Bontardawe, i Rhyd-y-fro, ges i chwech neu saith mlynedd yn fan'no a nawr ni yma.

Aneurin Karadog (17), Ynys y Bwl.

Mynd i weld y byd

Ar ôl i mi orffen lefel A nes i weithio a cynilo digon i fynd *off* am ryw naw mis. O'n i wedi dweud yn y chweched, 'dwi'n mynd i India'. Ges i'r arian a es i *off*. O'n i jyst yn eistedd ar yr awyren ac o'n i'n meddwl, 'Oh my God! Sgen i ddim syniad be dwi'n neud fan hyn!'. Oedd gen i *Lonely Planet Guide* ond o'n i ddim hyd yn oed yn gwybod lle oedd y Taj Mahal. O'n i ddim ond yn un deg wyth, jyst 'di troi un deg naw. Nes i gyrraedd India heb cliw be o'n i'n neud yna. Ond roedd o'n brofiad *amazing*. Dwi'n caru India.

Catryn Ramasut (23), Caerdydd.

Taith i Gaerfyrddin

Aetho i i Gaerfyrddin am y tro cyntaf mewn cart, mewn trap, a moch i'r mart gyda nhad, o'n i'n ddeuddeg oed. Dyna'r tro cyntaf i mi fod yn Gaerfyrddin.

Caradog Jones (82), Brechfa.

Nid ar fara yn unig ...

Gair o gyngor

Os gwelwch chi rwbath trwy ffenast siop, os nad oes gynnoch chi bres gofalwch chi gadw'r gwydr rhyngddoch chi a fo.

John Ellis Morris (85), Deiniolen.

Pedair merch landeg o Fôn ar ymweliad â Venice, 1962.

O 'sgotyn' i MacDonalds, o fwyta pys o'r ardd i'w hedfan nhw i mewn yn arbennig o Simbabwe – mae'r fwydlen Gymreig wedi newid yn aruthrol. Beth yw effaith siocled ar y meddwl benywaidd a beth yw cyfraniad cyri i'r diwylliant Cymreig? Cwestiynau pwysig! Rydym wedi cefnu ar y cyfnod pryd oedd mochyn yn cael ei halltu a'i hongian yn y tŷ am y gaeaf i gyfnod pan fo cymaint ohonom yn troi ein trwynau ar fwyd oherwydd bod y dyddiad ar dîn y paced yn dweud ei fod yn afiach. Ond o ddifri, pa mor hunangynhaliol allwn ni fod yn yr oes hon, a faint o fygythiad yn union sydd yna i gylch bywyd gan fwydydd wedi eu haltro'n enetig?

Fe fu cyfnod pryd yr oedd 'I bob un sy'n ffyddlon' yn gân ddirwest ddifrifol ac nid yn gân yfed yn cael ei chanu'n ddifrifol o wael. Aeth y mudiad dirwest â'i ben iddo i bob pwrpas a throwyd tafarn, ar y cyfan, yn gyrchfan boblogaidd i'r teulu ac yn fusnes sy'n gwneud traean o'i elw o werthu bwyd. Nid ogof lladron a nythfa puteiniaid mo'r dafarn leol erbyn hyn.

Yn yr un cyfnod aeth dyled ariannol o fod yn warthnod i'w osgoi ar unrhyw gyfri i fod yn ffordd o fyw i lawer o bobl. Mae ambell i gardyn credyd hyd yn oed yn arwydd o statws cymdeithasol i'w chwipio o'r waled pan fo angen creu argraff. Eto'i gyd melltithir y benthycwyr arian amheus, y siarc sy'n llechu ym mhrint mân papurau'r Sul, ond faint gwell yw'r banciau a'r cymdeithasau adeiladu sydd mor barod i fenthyg? Ar y llaw arall, heddiw, mae yna ambell i gymdeithas gydweithredol sydd yn fodlon mentro allan i'r byd mawr heb arian parod ac ambell i unigolyn o hyd sy'n dal i fynnu nad oes budd o brynu na thocyn raffl na thocyn loteri.

Bwyta, yfed a dyledion mae'r cyfan yn y bennod hon!

RAJ

Siocled, siocled, siocled, mmm!

Dwi'n *chocoholic*. Na'i fwyta gymaint o *chocolate* â dwi'n gallu. Alla'i fynd trwy pump bar y diwrnod. Dwi ar *overtime* ar hyn o bryd achos dwi wedi dod â *chocolates* Nadolig adre efo fi. Mae pawb yn synnu mod i'n gallu bwyta cymaint. Dwi'n gwario lot ar *chocolate*, mwy nag ar ddim byd arall dwi'n siwr, tua tair punt y dydd. Dwi'n ofnadwy, dwi yn bwyta lot. Ond dio ddim yn poeni fi. Dwi jyst yn teimlo'n wan os nad ydw i'n cael *chocolate*, mae'n rhaid i fi gael o. Mae o fel *addiction*. Mae fy ffrind i sy'n ddoctor wedi dweud fod gen i broblem a bod rhaid i mi stopio'i fyta fo. Dwi jyst yn cael *cravings* amdano fo. Dwi jyst yn methu mynd hebddo fo deud gwir. Mae'n anodd stopio.

Dwi'n lecio *Mars Bar, Maverick* ... unrhywbeth, dwi'n lecio unrhywbeth ... *Rolo, Snickers, Chocolate Orange, Quality Street, Milky Way, Kit Kat* ..., unrhywbeth ... *Boost*, unrhywbeth. Rhywbeth *chocolate* na'i fwyta fo. Dwi ddim yn lecio *chocolate* du cystal achos mae o'n chwerw ond na'i fyta fo. Unrhyw *chocolate*, os oes yna *chocolate* o 'mlaen i na'i fyta fo. Dwi wedi chwydu cyn hyn ar ôl byta gormod o fisgets *chocolate*.

Dwi'n byta *chocolate* ers i mi gael fy ngeni. Bai mam a dad ydio. Mae'r deintydd yn dweud ei fod o wedi helpu fy nannedd i achos mae rhyw fath o werth mewn *chocolate* sy'n helpu'ch dannedd chi achos does gen i ddim *filling* o gwbl. Dwi'm yn deall y peth.

Dwi'n byta *chocolate* i frecwast weithie. Tost a *chocolate*. Mae 'na laeth ynddo fo does? Dwi wedi breuddwydio am *chocolate* cyn hyn. Llond cwpan o *chocolate* caled a finna'n ei dorri fo i ffwrdd efo cyllell fara.

Ges i ddeuddeg *truffle* 'Dolig, nes i fyta tua wyth, a rhannu'r gweddill. Wedyn ges i *chocolate buttons*, ddim yn syth ar ôl, tipyn bach ar ôl, *chocolate moose* ar ôl cinio, *Yorkie* yn y nos a ges i baced mawr o *chocolates* wedyn. Nes i fwyta *kilogram* o *chocolate* un noson – ond 'na ni dio ddim yn broblem i mi.

Heledd Jones (21), Dolannog/Caerdydd

Siocled

Wy' yn lico *chocolate*!

Gaynor Tiplady (87), Pen-bre.

Melys moes mwy

O'dd nhad yn gallu bwyta basned o siwgyr ar y tro, o'dd dant melys

Heledd Jones a'i ffrind Bethan yn ei chartref yn Nolannog.

ofnadw 'da fe. Dwi'n cofio hen frawd yn dod i'r tŷ a nhad â'r llwy yn y basyn yn rhofio'r siwgyr mewn i'r ddisgled. 'Diawl Bifan,' medda fe, ''na bymtheg llwyed nawr.' 'Na'i gyd?', medde nhad, a chodi llwyed ne ddwy arall!

Rowena Snowdon (83), Rhyd-y-fro.

Saim

Wrth gwrs bod saim yn ddrwg i chi. Oddan ni'n arfer cael saim cig moch bob dydd, boddfa ohono fo, ond be oedd yn digwydd o'dd ein bod ni'n ei losgi o. Oddan ni'n llafurio, felly oddan ni'n llosgi'r bwyd i gyd. Dydi deiet felly ddim yn dda i ddyn sy'n mynd yn ei gerbyd ac ista yn ei swyddfa drwy'r dydd.

John Ellis Williams (74), Llanrug.

Bwyd y gweision

O'n i'n ifanc a beth o'n i'n ga'l o fwyd o'n nhw'n dodi fe o mla'n i. Os nad o'ch chi'n ca'l digon wel *bad luck* na'r cwbwl o'ch chi'n ga'l. O'ch chi'n tyfu ac yn gweld ishie bwyd. Dwi'n cofio iar yn dodwy ar ben y wal a pan o'n i'n cliro mas o'n i'n llyncu'r wy. O'n i'n torri twll yn y *top* a twll yn y godre a dala mys ar y twll yn y godre nes mod i'n dodi fe yn fy ngheg a tynnu'n anal mewn ac o'n i'n lyncu fe. O'dd e'n gneud lot o les i chi. O'n i ddim yn starfo ond o'ch chi'n tyfu a liciech chi gael mwy.

   O'ch chi'n cael yr un bwyd a'r teulu yn y ddau le cynta fues i ond yn y lle diwetha fues i o'dd ford ar wahân 'na, o'dd arferiad felly da'r ffermydd mawr. Y

trwbwl o'dd bod ni yn yr un *room* â nhw ond o'n i ar y ford fan hyn a nhw ar y ford draw fan'co, ond do'n ni ddim yn cael yr un bwyd a brecwast ag o'n nhw'n gael. O'n ni'n cael wy 'di ferwi ambell waith neu rywbeth bach fel'na, dim math o ddim wedi'i ffreio na dim fel'na, ond o'ch chi'n clywed *smell* eu bwyd nhw. O'dd e ddim yn beth neis iawn.

Caradog Jones (82), Brechfa.

Sgotyn a brwas

Dwi'n cofio cael lobsgows a pwdin reis. Fydda'r wraig 'ma yn chwerthin am ben nain yn rhoid halan yn y pwdin reis, o'dd honno'n jôc fawr. Dwi'n cofio ca'l sgotyn a brwas. Llwyad o saim a bara a dŵr poeth am ben o efo bach o bupur a halan o'dd sgotyn. Tatws llaeth a bara llaeth. Tatws yn popdy a pwdin ar ddydd Sul.

John Ellis Morris (85), Deiniolen.

Glanweithdra!

Dwi'n cofio hen fwtsiar yn cychwyn o Menai Bridge, Bwtsiar Borth oddan ni'n alw fo, efo trol agorad. Wedyn o'dd o'n cerddad o Borth a ro'dd pawb wedi bodio'r cig o fa'no i ben draw Dinorwig! 'Na chi beth arall os oeddach chi ishio mynd i siop i brynu menyn oeddach chi'n rhoid ych gewin yno fo i'w drio fo. Tydi pobol wedi mynd i eithafion efo *hygiene* erbyn hyn?

John Ellis Morris (85), Deiniolen.

Martha Morgan yn torri halen i halltu'r mochyn, *c.* 1955.

Rhannau'r mochyn

O'dd nhad yn mynd o amgylch yr ardal yn lladd moch. Wedyn y tâl ran amla o'dd ca'l darn o'r mochyn pan fydde fe'n galw'r diwrnod ar ôl 'ny i dorri'r mochyn lan yn ddarne mân. O'n nhw'n cadw'r darne mwy i'w halltu wrth gwrs. O'dd 'na garreg las ym mhob cartre – yn y llaethdy. Dyna bwrpas y garreg las yma o'dd i halltu'r mochyn. O'dd cig mân y mochyn, yr eis a'r sgwarnnog, a darn o'r asgwrn cefen, yn ca'l i roi i nhad yn dâl am 'i waith.

Martha Morgan (54), Tregaron.

Pen Jimmy

Ambell waith o'n i'n cael 'pen jimmy'. O'dd mam yn prynu pen oen, roedd y bwtsiwr yn ei hollti fe. O'dd y rhinwedd i gyd yn dod mas pan o'dd mam yn ei ferwi fe, o'dd ei fenydd e'n dod mas a ro'dd ei dafod e'n ffein cofia. O't ti'n torri'r tafod ac yn ei sleisho fe, o'dd *lamb's tongue* 'da ti. Os o'dd mam yn prynu 'pen jimmy' am rot roedd pethau'n eitha caled fan hyn. Roedd ffowls 'da ni yn yr ardd a o'dd mam yn lladd ffowlyn yn amal. Os o'dd plant y pentre yn cael ffowlyn, wel *it was glory day*, ond o'n i'n cael ffowlyn pan oedd dim arian i brynu cig arall.

Percy Lloyd (76), Pwll.

Brocer

O'dd nhad yn mynd o amgylch i helpu pobol yn y crynhoi yn yr hydref a fydde'r cymdogion wedyn, y rhai o'dd yn perchen eu stoc, yn rhoi hen ddafad iddo fe, brocer o'n nhw'n galw hi, dafad o'dd wedi colli'i dannedd. O'dd e'n ca'l lladd y brocer i'w ddefnydd e'i hunan. Fydde fe'n dod â'r ddafad gartre a'i rhoid hi i mewn yn y bing yn y sgubor ac yn ei lladd hi drannoeth. Fydde fe'n torri'r cig 'ma lan. Fydden ni'n byw reit gyfoethog wedi 'ny nes bydde'r cig 'ma wedi bennu. Fyddech chi'n cwco fe am tipyn bach mwy o amser achos o'dd hi'n hen ddafad ond ran amla beth o'n nhw'n neud â hen ddafad fel hyn o'dd rhoi poteled o finegr yn ei gwddwg hi a'i gadel hi am gwpwl o ddiwrnode – o'dd y cig llawer mwy tender!

Martha Morgan (54), Tregaron.

Un enllyn ar y tro

O'dd mam yn dweud ambell waith, 'un enllyn ar y tro'. Os o'ch chi'n cael caws o'ch chi ddim yn ca'l menyn, os o'ch chi'n ca'l menyn o'ch chi ddim yn ca'l caws.

Caradog Jones (82), Brechfa.

Pys – bob cam o Simbabwe

Dyw pethe ddim yn ffres mewn archfarchnadoedd. Mae nhw'n cael eu pigo, eu pacio, eu gyrru i rhyw ganolfan fawr sy'n dosbarthu – mae nhw wythnos oed o leiaf. Falle bod Tescos yn dweud eich bod chi'n gallu cael pys o Simbabwe o fewn pedair awr ar hugain o'r goeden i'r silff, ond mae nhw wedi cael eu rhewi, eu dodi mewn awyren ... Dyw'r syniad yma o gael ffrwythau ffres o wledydd pell ddim yn gwneud synwyr os ych chi'n meddwl am yr amgylchedd. Pam ddylen ni gael awyren llawn o bys yn llygru'r awyr jyst er mwyn i ni gael pys mwy ffres?

Siân Thomas (49), Castell y Rhingyll.

Siopa gwleidyddol gywir

Dwi'n trio darllen labeli. Dwi ddim yn hoffi mynd i Sainsburys – nhw ydi'r *Conservatives*? Dwi'n trio mynd i Co-op ond mae'n anodd weithie. Pan oedd

Marlis Jones yn faban yn mwynhau'r fanana olaf cyn y rhyfel.

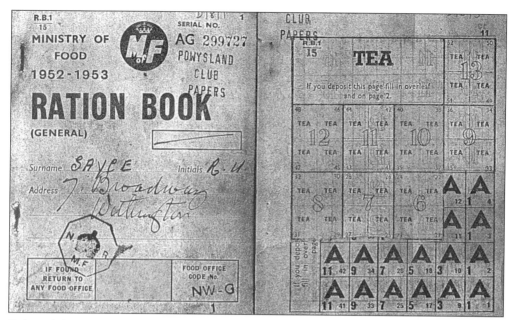

Dalen o lyfr rasiwn.

apartheid yn Ne Affrica o'n i ddim yn prynu pethau o Dde Affrica o gwbwl. Dwi'n cofio o'n i'n disgwyl Lara a ges i *cravings* am *grapes*, ond dim ond *South African grapes* oedd ar gael, nes i brynu nhw ond nes i fethu bwyta nhw, nes i taflu nhw!

Sheela Hughes (44), Llanfyllin.

Rasiwns

Roedd 'na batrwm i'n bwyd ni oherwydd rasiwns. Roeddach chi yn cael eich cyfyngu gan beth oedd yn y siopau. Roedd gynnach chi lyfr, llyfr tua pum modfedd sgwâr falla, a tudalennau yn hwnnw a phob tudalen wedi cael ei thorri i fyny yn sgwaria bach a rhif arnyn nhw – rhif am bob wythnos. Fe gaech chi hyn a hyn o siwgwr y pen mewn wythnos, hyn a hyn o fenyn a hyn a hyn o fargarîn. Tudalen i siwgwr, tudalen i fenyn a chaws,

tudalen i felysion a llyfr ar wahân i ddefnyddia. Roeddech chi'n gorfod cofrestru mewn siop efo un llyfr a dim ond yn y siop honno gaech chi brynu eich bwyd sylfaenol – y siwgwr a'r blawd a'r menyn a'r caws a'r ffrwythau sych os oeddan nhw ar gael.

Marlis Jones (61), Llanbryn-mair.

Hunangynhaliaeth

O'dd llath 'da ni, o'dd menyn 'da ni, o'n i'n prynu cann i wneud bara achos o'n i ddim yn tyfu llafur. O'dd tato 'da ni, o'dd sweds 'da ni, o'dd lot o bethe 'da ni. O'dd ffowls yn dodwy wye, o'ch chi'n cadw ambell i oen a lladd mochyn – o'n i wastad yn cadw un mochyn weddol o seis, mochyn halltu o'n nhw'n galw fe. O'dd wastod cig i gael.

Rowena Snowdon (83), Rhyd-y-fro.

Popeth wrth law

Wy'n treial bwyta bwyd wedi tyfu fan hyn neu wedi ei ffeindio yn y coedwig. Mae e yn eitha pwysig i mi. Er enghraifft, wy'n treial prynu bwyd organig – ddim o ran iechyd ond o ran iechyd cefn gwlad. Fel llawer o bobl nawr wy'n poeni am GMOs – dim jyst am cwestiwn iechyd pobl sy'n bwyta nhw ond be sy'n mynd i ddigwydd i'r amgylchedd a cefn gwlad. Dwi'n treial meddwl, 'o ble daeth hwn?'.

Dwi wedi bod yn llysieuwr ond dwi ddim yn poeni gormod am y pwnc yna nawr achos dwi'n byw mewn ardal ble mae pobl yn gweithio ar ffermydd. Ma'n cymdogion ni yn ffermwyr. Siwr o fod y bydd rhaid i bobl Cymru fwyta cig yn y dyfodol os ydyn nhw yn mynd i fwydo eu hunain. Dwi'n meddwl fod y pwnc yna yn fwy cymhleth na jyst peidio byta cig. Beth ych chi'n mynd i fwyta os nad ych chi'n bwyta cig? *Genetically modified soya*? Dim diolch!

Ni newydd planu stwff am y tymor yma. Fydd dim rhaid i ni brynu lot o lysie. Ni'n planu bron popeth – tatws, pethe salad, ffa a ffrwyth. Ma' chwaden 'da ni *so* gobeithio fydd dim gormod o broblem 'da malwod eleni! Ma' lot o *nettles* 'da ni *so* fi'n licio gwneud cawl gyda *nettles*. A jyst yn y cae yma ac yn y cloddie ma', *pennywart*, dant y llew, draenen ddu, aeron a madarch wrth gwrs. Chi'n gallu bwyta bron popeth yn y clawdd! Mae e jyst fel archfarchnad!

Nick Davies (37), Llangrannog.

Veggies!

All rhai pobl ddim meddwl am fwyta creadur. Wel lecien nhw weld y creadur yna yn cael ei dwlu mas rhyngto fe a'i dduw i fwyta be mae e'n gallu ffeindo a starfo yn gaea' achos bod neb yn gofalu amdano fe, dim neb yn rhoi

Aelodau Cynllun Cyfle Teifi Taf.

Y briodas yn y Fali. Dan y gorchudd du mae'r arwydd Ind Coope, 1934.

injections iddo fe neu'r pryfed yn ei fwyta fe'n fyw achos bod dim neb i ga'l i gneifo fe? Smo nhw'n deall.

Rowena Snowdon (83), Rhyd-y-fro.

Seidir

W y' byth yn mynd i dafarn. O'n i'n yfed seidir wrth y c'naea gwair. O'dd pobl o Sir Henffordd yn dod yma, *Yeoman's*, yn ôl yn y tridege, wy'n cofio'r rhai cynta yn dod â casgen fawr heibo. Rhywbeth i bobl y wlad o'dd seidir ran amla, o'n i'n yfed casgened rhwng y gweithwyr a'r gweision a phopeth, o'dd e'n help i dorri syched. Ond o'dd rhaid i chi fwyta da'r seidir. Os nad o'ch chi'n bwyta o'dd y seidir yn ych difa chi.

Jonathan Davies (84), Pontsenni.

Drink Ind Coope!

O 'dd fy mrawd yn priodi rhyw hogan o Sir Fôn a'r wledd briodas yn rhyw westy yn y Fali. Wedyn oddan nhw'n cael tynnu eu lluniau o flaen y gwesty 'ma. Be oedd yn fa'no ond arwydd *Drink Ind Coope*. Ma' nhw wedi rhoi llian drosto fo yn y llun i'w guddiad o rhag i bobol weld eu bod nhw mewn tŷ tafarn.

John Ellis Williams (74), Llanrug.

Siampaen i frecwast

D wi ddim yn yfed nawr, mae car 'da fi. Ond brandi oedd y tipl. Ac o'n

Cwrdd dirwest! *'Off with the penny, up with the gravity!'*. Percy Lloyd yw'r ail o'r chwith.

ni yn tiplan fel pysgod. Doedd un ddim digon i fi a doedd llond gwniadur ddim digon. Pawb arall yn gorwedd hyd y llawr tua'r *golf club* 'na a finne ar fy nhraed!

'Sa rhywun yn gofyn i mi ble licien i fynd yn ôl i fyw – Gib. Roedd rhywbeth am Gibraltar. *Eleven o'clock in the morning my dear, champers!* Ie, *champagne.* Un ar ddeg o'r gloch y bore dach chi i fod i yfed *champagne,* dim un adeg arall, cofiwch hynny.

Sylvia Johnson (80), Tal-y-bont.

Wyt ti'n hoffi coffi?

Dim ond dŵr a llaeth wy'n yfed. Wy' ddim yn yfed te na coffi na dim byd. Smo te'n cytuno â fi a smo fi'n lico coffi.

Rowena Snowdon (83), Rhyd-y-fro.

Bragu

O'dd Gwyn Evans a finne'n gwneud cwrw. Diaich erio'd 'odd e'n stwff da i ti. O'n i'n neud tua *forty pints a week.* A ti'n gwbod, yn yr haf ar ôl cinio, cael un bach, ond diaich oedd un yn mynd yn bedwar falle. Ar ôl te wedyn dau arall, wel diaich erioed o't ti'n feddw ti'n gweld. Ond wedes i, *'no more,* wy'n stopo'i neud e'. Allet ti byth a torri lawr ar gwrw pan ma' pedair galwyn 'da ti yn sied na elli di? *Finished!*

Percy Lloyd (76), Pwll.

Dirwest

Se'n i'n cael fy ffordd, ac wy'n gwybod y bydden i'n amhoblogaidd dros ben, fydden i'n caead pob tŷ tafarn a bob clwb! Ond falle mod i'n gor ddweud!

Dilwyn Davies (71), Gors-las.

Pres cwrw

Mi o'dd na ddynion yn mynd i'r dafarn. Mi o'dd y chwarelwr o'dd yn mynd i'r dafarn braidd yn esgymun, ddim am ei fod o'n mynd am ei beint, chwara teg iddo fo am ei chael hi, ond roedd o'n mynd a'r arian ddyla'i wraig o fod yn gael i fwydo'i blant o a'u dilladu nhw a rhoid sgidia am eu traed nhw. O'dd o'n gwastraffu arian o'dd y cartra ishio.

John Ellis Williams (74), Llanrug.

Siopa

Do'dd mam ddim yn talu am 'i siopa bob dydd wyddoch chi. Fydda nhad yn ca'l i gyflog ar nos Wener a wedyn talu bil yr wythnos ar ddydd Sadwrn. Wedyn fydda rhywun yn cymryd mantais ac yn gofyn am far o *chocolate* a'i roid o ar y bil, fydda mam yn gwybod dim.

Eniwe dda'th tŷ ar werth yn Bryngwran, dau gant o bunnau, a dyma Mr Michael, y siopwr, yn deud wrth fy mam, 'pam na newch chi brynu o'. 'Ylwch,' medda fo, 'prynwch o, dala i amdano fo, gewch chi dalu punt yr wsnos i mi nes byddwch chi wedi talu amdano fo.' Dim *interest* na dim.

Owen Edwards (72), Caergybi.

Cyllideb

Ar ôl mynd i'r chwaral o'n i'n cael chwe cheiniog ar nos Wener i fynd i'r pentra a dwi'n cofio'r *budget*, gwerth dwy geiniog o *chips*, llond *glass* o *sarsaparilla* a teisan bwdin yn Siop Maggie Rowlands a na'r chwech 'di mynd!

John Ellis Morris (85), Deiniolen.

Hen far y Drover's Arms, Llanelwedd, 1949-50. Llun P. B. Abery, trwy garedigrwydd y Llyfrgell Genedlaethol.

Gaynor Tiplady a'i gŵr John cyn iddo ymddeol o'r siop.

Gwerth chwech

O'n i'n ca'l chwe cheiniog ar ddydd
Sadwrn a mynd i cae ffwtbol. Oeddach
chi'n ca'l pump Woodbein, bocs o
matches a potel o lemonêd am chwech.
Dyna o'n i'n ga'l am chwech ar ddydd
Sadwrn. Oddan ni'n mynd i'r cae a
smocio'r pump efo'i gilydd cyn mynd
adra!

Owen Edwards (72), Caergybi

Byw ar y gwynt

Pan adewis i'r ysgol es i ar y dôl am
bum mlynedd. Bywyd da. Ro'dd gyn i
lot o ffrindia ar y dôl. Do'dd gyn i ddim
uchelgais o gwbwl adeg hynny – jyst byw
o ddiwrnod i ddiwrnod. Mynd i lan môr
drwy'r dydd yn ganol gaea. Mynd i'r pyb
wedyn tan tua dau o'r gloch y bora. Nôl
adra wedyn ac aros yn fy ngwely tan tua
tri. Gweithio yn yr haf wedyn yn y
restaurant 'ma, tu ôl i'r bar a thallu. Cadw
'mhres i gyd yn yr haf a'i wario fo i gyd ar
ddiod yn y gaea.

Selwyn Jones (38), Tudweiliog.

Heb gael cyflog erioed

Ches i rio'd gyflog fel y cyfryw. O'dd
meibion ffermydd yn byw yn y gobeth o
etifeddu'r fferm. Fel'na o'dd pethe'n
gweitho. O'ch chi'n cael arian poced ond
dim cyflog.

Jonathan Davies (84), Pontsenni.

Dim llwy arian

Dwi heb 'di ca'l ngeni'n gyfoethog a dwi heb 'di ca'l magu'n tlawd. *At least* dwi'n gwbod bo fi heb 'di bod yn un o'r *class* uchal. Pan dwi'n gadal ysgol *at least* dwi'n mynd i fod yn *keen* i ga'l pres fi yn tydw?

Kevin Bohana (16), Caernarfon.

Fel llygoden eglwys

Dyw arian ddim yn bryder cyson i mi erbyn hyn oherwydd ges i swydd arall gyda'r Bwrdd Iaith. Os na fydden i ar y Bwrdd Iaith mwy na thebyg y byddwn i'n derbyn rhyw fath o nawdd cymdeithasol i helpu'r teulu mas. Mewn ffordd mae'r Llywodraeth yn talu i mi am wneud rhywbeth yn lle talu i mi am fodoli! Mae hynny wedi helpu i leddfu'r broblem. Dwi'n cael arian am ysgrifennu a gwneud peth darlledu a phethau felly.

Patrick Thomas (47), Brechfa.

Aberth

Dwi'n cofio pan benderfynes i aros gartre i fagu mhlentyn a'r cyflog o'dd yn dod i mewn i'r tŷ yn cael ei dorri i'r hanner. Dwi'n cofio ar ôl tua tair mlynedd o'n i'n teimlo'n dlawd iawn.

Rhianedd Bowen (60), Cricieth.

Rhybudd – siarc!

Rwy'n gweithio gyda'r Ganolfan Gynghori yn Llanelli, sy'n dref digon cyffredin, ond fe ddeliodd y Ganolfan gyda 'mhell dros filiwn a hanner o ddyled yn y flwyddyn ariannol ddiwethaf. Nid dyledion busnese jyst dyledion plastig a catalog.

Wy'n gweld pobl gyda dyledion rhyfeddol o hurt. Llynedd daeth menyw mewn a gweud wrtha'i, 'dim ond un dyled sydd gyda fi, yn siop Dorothy Perkins'. Dyma fi'n gofyn faint o'dd y ddyled. Pedair ar ddeg o filoedd o bunnoedd! Uffach gols! Beth o'dd wedi digwydd, o'dd hi wedi prynu pethe ar ei cherdyn, ro'dd ei cherdyn hi wedi mynd yn llawn a o'dd hi'n methu talu'r ddyled. Dyma'r cwmni'n trosglwyddo'r ddyled i gasglwyr dyledion a'r tro nesa aeth hi i mewn i'r siop ro'dd ei charden hi'n wag, do'dd dim dyled o gwbl ganddi hi. Mi ail lenwodd hi ei charden ac fe ddigwyddodd yr un peth eto. Ro'dd y dyledion jyst yn casglu gyda'r casglwr dyledion sydd wrth gwrs yn rhoi pymtheg y cant arno fe'n syth am yr anrhydedd o fod yn gasglwr y dyledion.

Siân Thomas (49), Castell y Rhingyll.

Rhybudd – banc!

Hyd yn oed mewn ardal fel hyn mae 'na *loan sharks* hollol ddidrugaredd i gael, sy'n curo drws ganol nos ac yn bygwth ac yn ffonio chi fyny yn y gwaith – pobl hollol ddieflig. Wedyn ar y llaw arall mae'r banciau. Dyw'r banciau ddim yn gwneud eu harain ar eich enillion chi ma' nhw'n gwneud eu helw i gyd ar loge a phobl sy'n methu

Taflen o'r Ganolfan Cynghori y mae
Siân Thomas yn gweithio ynddi.

fforddio talu llog. Dyna sut mae'r bancie
yn gwneud eu helw a wy' ddim yn gweld
bod unrhyw wahaniaeth rhwng y *loan
shark* a'r person parchus yn y banc sy'n
cynnig benthyciad bach arall i chi.

Siân Thomas (49), Castell y Rhingyll.

Y busnes benthyg 'ma

At y banc dan ni wedi troi pan
oeddan ni angen pres ac oeddan
nhw eitha parod i wrando. Mae hi'n
bwysig fod rhywun yn talu 'i ffordd ond
o ran busnes oddach chi'n cael ych dal
yn ôl weithie. Oeddech chi'n gwneud
rhyw joben ond doeddech chi ddim yn
cael eich talu yn syth. Oeddech chi
ishio talu i'r iard goed ar ddiwedd y mis
a doedd y taliad ddim yn dod, felly o'dd
hi'n mynd yn rhyw olwyn – o'dd pres yn
dod i mewn i un llaw ac allan o'r llall.
Dyna o'dd dechre fy mhrobleme fi. O'dd
rhywun yn methu talu'r bil. O'dd na
fygythiade mawr, o'dd rhywun yn trio
bod yn barchus am y peth ond wedyn
o'dd pethe'n mynd o ddrwg i waeth.

Allwn i fod wedi osgoi'r peth ond o'n
i'n meddwl y bydde fo'n mynd i ffwrdd,
na fydde fo byth yn digwydd i mi. Pan
mae o'n digwydd mae o'n deimlad
erchyll. Dach chi'n teimlo'n dda i ddim
pan ma'r alwad ffôn yn dod o'r *official
receiver* yn Gaer a ma' nhw'n deud
wrthach chi am beidio defnyddio'ch
bank account a stopio gwneud hyn a
stopio gwneud llall, mae o'n deimlad
ofnadwy. Dach chi'n cael eich llorio,
ma'ch balchder chi wedi cael ei roid ar
lawr dan draed. Ma' rhywun wedi cael
rhyw wers go eger. 'Swn i'n gwybod lot o
bethe cynt fydde pethe wedi bod yn
wahanol. Dyle bod yna ffordd o drio
cael pobl i siarad efo pobl i ddechre cyn
iddyn nhw fynd yn fethdalwyr. Ond ella
mod i'n rhy falch a ddim ishio mynd i
chwilio am y cyngor hwnnw – o'n i'n
meddwl mod i'n mynd i sortio
mhrobleme fy hun allan.

Gwilym Davies (54), Waun, Nantglyn.

Benthyg

Fasan ni ddim lle ydan ni rwan heb
ein bod ni wedi cael benthyciadau
o'r banc. Mi ddaethon ni'n denantiaid
ond fe fuo rhaid i ni gael benthyciad
bach o'r banc i gario ymlaen. Ond pan
ddaeth y fferm ar werth fe fuo'n rhaid i
ni gael benthyciad eitha sylweddol. O'n

i'n gwybod lle oedd y to efo hwnnw ac o'n i'n medru cadw tu mewn iddo fo'n iawn. Rwan dan ni wedi clirio'r ddyled honno. Dwi'n defnyddio cerdyn credyd oherwydd yr hwylustod ond dwi'n ei glirio fo'n gyflawn bob mis. O'n i'n ei ddefnyddio fo i arbed arian. Pan oeddan ni efo benthyciad o'r banc – bob un siec oeddan ni'n neud roeddan nhw'n codi arnan ni – ond wrth ddefnyddio cerdyn credyd un siec y mis oedd yn mynd.

Marlis Jones (61), Llanbryn-mair.

CYFLE – CYfundrefn Fasnachu LEol

Does dim arian 'da fi a does dim lot o ots 'da fi am arian. Dwi'n meddwl am arian fel offer, fel *tool*. Alla'i ddim bwyta fe na gwisgo fe. Dwi wedi cael dyled. Dwi wedi cael carden credyd 'da balans mawr. Ond dwi'n treial byw heb fod angen carden credyd a phethe felly.

Ni'n trefnu Cynllun Cyfle yn yr ardal yma, sef ffordd i fasnachu gwasanaethe heb fod angen arian. Nid arian yw'r peth pwysicaf mewn masnachu. Y peth pwysicaf yw fod angen rhywbeth arna' fi a bod rhywbeth 'da chi wy' angen. Wy'n plygu clawdd yn y gaeaf, wy'n gweithio fel garddwr, wy'n helpu pobl gyda gwaith adeiladu, wy'n rhoi liffte i bobl i Gaerdydd er enghraifft. Unrhywbeth wy'n gallu wneud am arian wy'n gallu wneud am Teifis. Mae un Teifi werth un bunt. *So* mae e'n math o arian – mae'n arian lleol. Ma'n bosib defnyddio fe fel *current account* yn y banc, ond does dim *interest* a does dim prinder ohonyn nhw. Ma' llyfr siec 'da pawb. Chi'n talu 'da siec. Wedyn chi'n anfon y siec i'r swyddfa fan hyn. Ma' dau balans, yr un sydd wedi talu a'r un sydd heb ei dalu yn dod lan ac i lawr. Ma' cyfrifon y grŵp gyda'i gilydd yn dod i falans o ddim.

Os ych chi moyn rhywun i ail-adeiladu rhan o'ch tŷ a does dim arian 'da chi dyw hi ddim yn bosib i chi wneud y gwaith. Ond gyda Cyfle, sdim arian, sdim angen balans mawr yn y du. Beth chi'n neud yw neud ymrwymiad i'r grŵp sef, os mae'r adeiladwr yn dod ac yn ail-adeiladu'r tŷ fydda' i yn y dyfodol yn neud rhywbeth i rhywun arall yn y grŵp, dim yr adeiladwr, dim y boi sy'n gwneud y gwaith i mi, ond i rhywun arall yn y grŵp. Wy' newydd gael ail-adeiladu y *porch* 'ma. Tales i cant a hanner o Deifis gyda siec, wedyn a'th y

CYFLE TEIFI TAF LETS

Maes-y-morfa, Llangrannog, Ceredigion, SA44 6RU
01239 654561

Dyddiad/Date: 27 Gorff 99

Taler/Pay: Huw Griffiths

Am/For: Garddio

Swm/Amount: Un deg saith Teifi

Llofnod/Signature: Dawi

T17 - 00

Rhif Siec:
Cheque No: 023

Siec am un deg saith o Deifis.

Porch Nick Davies a godwyd am bris o gant a hanner o Deifis.

cyfri lan cant a hanner ac es i lawr cant a hanner. Ma' cyfri yn y coch 'da fi *so* ma'n rhaid i fi chwilio am waith a gwneud rhywbeth i'r grŵp, a fydda' i'n hapus i wneud e achos ma' *porch* newydd 'da fi.

Ma' wyth deg o aelode 'da ni yn Grŵp Teifi Taf. Hoffen ni gael mwy o aelode achos sdim plwmiwr 'da ni, sdim trydanwr 'da ni ond dan ni ddim am ledu dros Cymru, dan ni moyn aros yn yr ardal yma. Ma'n ffordd o helpu pobl heb arian, helpu pobl heb waith a helpu pobl i ddod i nabod 'i gilydd, ma'n ail-adeiladu cymunede.

Nick Davies (37), Llangrannog.

Cardiau

Dwi newydd luchio fy *credit cards* i gyd. O'n i wedi mynd dros chwe mil arnyn nhw ac wedi cymryd *loan* gyn Barclays i dalu amdanyn nhw dros dair mlynadd.

Selwyn Jones (38), Tudweiliog.

Dyledion

Mae gen i *student loans* uffernol, mae gen i *bank overdraft*, mae gen i *visa card debt*, mae hwnna i gyd achos y brifysgol. Chi'n ffili byw yn Llunden heb gael y *student loans* 'ma a mae nhw lot fwy na pobman arall. Mae nhw'n cymryd oesoedd i dalu nôl felly mae angen cael *job*!

Catryn Ramasut (23), Caerdydd.

108

Dyledion llaeth

O'dd llath yn ddwy geiniog am beint a cheiniog am hanner peint. Wy'n cofio mam-gu yn sôn am streic 1926 a o'dd y wraig 'ma wedi rhedeg y bil lla'th i ugain punt. Fe dalodd pawb mam-gu ond honna – fe a'th honna i'w bedd â'i hugen punt. O'dd pawb am fisoedd yn methu talu ond fe dalwyd pob ceiniog o'r ddyled. Dim ond hon 'da mam-gu glywes i o'dd heb dalu.

Gaynor Tiplady (87), Pen-bre.

Habit bach

Oedd gen i *habit* bach pan oeddwn i'n y chweched. O'n i'n cymryd arian cinio ac yn mynd lawr i Le Croupier yn y dre a, ti'n gwybod, *try my luck on the black jack*. Mae nheulu i yn *Thailand* hefyd yn *gamblers* mawr.

Catryn Ramasut (23), Caerdydd.

Las Vegas

O'n i'n arfer gwneud jôc mai'r unig broblem o'dd ddim 'da fi o'dd problem ariannol. Does dim 'da fi ddim y ddau beth dryta' mewn bywyd sef plant a morgais. Wy' i ddim erioed wedi gwneud dim byd â'r loteri oni bai y sindicet hyn yn y gwaith – wy' ddim ishie iddyn nhw ymddeol a byw yn fras a gadael i mi redeg y swyddfa ar ben fy hunan! Un tro fues i'n Las Vegas a waries i ddim senten yr holl amser fues i yna!

Siân Thomas (49), Castell y Rhingyll.

Gamblo

Alla i byth a dweud mod i'n gamblo! Na, fydden i ddim yn prynu loteri na dim felly. Wy' ddim yn hoffi pobl yn gwerthu raffls at gapel neu eglwys, os ych chi'n aelod ddylech chi gyfrannu. Ond pan fydd rhywun yn gwerthu raffl at ganser fydden i'n rhoi. Weithie fydden i'n dweud na fydden i ddim ishie'r *ticket* ond y bydden i'n rhoi'r bunt iddyn nhw – ond ma' hynny'n achosi cyment o ben tost iddyn nhw, ma' nhw'n methu ado lan! Felly fyddai'n cymryd y *ticket* ac yn rhoi enwe'r plant arno fe.

Martha Morgan (54), Tregaron.

Treble Time

Un o fy nghyfrifoldebau mawr i yn y gwaith, os ydi Cyngor Sir Gwynedd yn gwrando, ydi sortio allan *treble time* ar gyfer noson y mileniwm!

Selwyn Jones (38), Tudweiliog.

Pennod 7

At y bedd a thu hwnt

Llwch yn gwneud lles

O'dd T.B. yn beth cyffredin ond llwch chwaral o'dd rhan fwya ohono fo. O'dd na ddoctor yn Bethesda'n deud fod llwch llechi yn gneud lles i bobol!

John Ellis Morris (85), Deiniolen.

Brenig Jones yn filwr yn yr Ail Ryfel Byd, 1942.

Er bod gwellhad bellach ar gyfer nifer fawr o glefydau oedd yn angeuol ar droad yr ugeinfed ganrif mae clefydau eraill wedi cymryd eu lle i dywys dyn i'w dranc. Yn ystod y ganrif cafwyd cyfnod lle nad oedd gofal Gwasanaeth Iechyd, gwelodd y gwasanaeth hwnnw oes aur ac erbyn hyn gwelir yr un gwasanaeth yn cynnig mwy o driniaethau – sydd ar brydiau yn ymylu ar y gwyrthiol – ond sydd yn gallu bod yn aruthrol o ddrud, ac wrth gwrs mae rhestrau aros.

Oni bai am y rhai sy'n marw'n annisgwyl, prin yw'r rhai sy'n marw yn eu cartrefi eu hunain erbyn hyn, sy'n golygu bod llawer o'r traddodiadau a'r arferion oedd yn gysylltiedig â marwolaeth wedi eu hanghofio. Yn y bennod hon mae rhai yn cofio rhai o'r arferion hynny ac eraill yn myfyrio ar le 'marwolaeth' yn ein bywydau.

Tra fod rhai yn trin ofergoelion fel crefydd mae eraill yn gweld crefydd fel dim mwy nag ofergoel. Mae un wraig sy'n cyfrannu i'r bennod hon yn sôn am ei mam-gu a'i thad-cu yn dod dan ddylanwad diwygiad 1904-05 ac yn sôn amdani hi ei hun ym mlwyddyn ola'r ganrif yn cael ei hachub rhag crefydd gan Ddyneiddiaeth. Ond eto tra fod y mwyafrif llethol (92%) wedi cefnu ar grefydd sefydliadol ar yr un pryd mae tri chwarter y boblogaeth yn dal i gredu mewn Duw ac mae'n hanner ni yn gweld yr angen am weddi a myfyrdod. Mae profiad yr iaith Gymraeg bellach yn cynnwys crefyddau'r dwyrain yn ogystal ag anghydffurfiaeth – mae'r ystod gyfan yn cael ei adlewyrchu yn y bennod hon.

RAJ

Cyn yr NHS

Yn chwaral flynyddoedd yn ôl os bydda dyn yn wael o'dd gynnon ni system lle ro'dd pawb yn chwaral yn rhoid swllt bob mis, Ticad Elusenol oeddan ni'n alw fo. Chaech chi fawr mwy na ryw un neu ddau yn gwrthod. Fydda'r pres i gyd yn mynd i'r sawl o'dd yn wael i'w gario fo trwy'r cyfnod yna. O'dd na garedigrwydd ofnadwy.

John Ellis Morris (85), Deiniolen.

Afiechydon

O'dd diciáu yn rhemp pan o'n i'n hogyn. O'dd 'na ddynas yn dwad yn ysbeidiol i areithio ar sut i osgoi dal y diciáu. Dwi'n 'i chofio hi'n iawn yn deud, os oeddach chi wedi gael o, i gario potal las efo chi a poeri i'r botal rhag i chi ledaenu fo yn eich poer. Ges i'r dwymyn goch, yn ysbyty Môn ac Arfon ym Mangor ges i o. O'dd neb yn cael dod yn agos ata' i am fis.

John Ellis Williams (74), Llanrug.

Y Dwymyn Goch

Pan o'n i'n fach fach gesoi'r dwymyn goch, a fuo honno bron a dodi pig i mi, ond wy'n cofio dim am bwyti fe. Dwi'n cofio mynd draw i eglwys Salem yn Rhydypandy a o'dd carreg ar bwys y gat a rhester o enwe plant bach blwydd, blwydd a hanner, dyflwydd, tairblwydd oed, 'buont farw o'r dwymyn goch'. Llond tŷ o blant yn mynd.

Rowena Snowdon (83), Rhyd-y-fro.

Criw Chwarel y Penrhyn, Bethesda, ddechrau'r ganrif.

Peiriant trydan, batri tair folt,
i drin cryd cymalau, 1922.

Mynd i'r wyrcws

Dwi'n cofio'r meddyg yn ffonio am
ambiwlans i fynd â mam i'r sbyty.
O'n i wedi meddwl y bydden nhw wedi
mynd â hi i ysbyty gyffredin, ond a'th hi
i sbyty hen bobl. O'dd mam wedi dweud
wrtha'i nad o'dd hi byth am fynd i'r
sbyty hen bobl achos mai'r wyrcws o'dd
e yn yr hen ddyddie.

Rhianedd Bowen (60), Cricieth.

Iacháu

Roedd gen i ddafad fawr ar fy llaw. Es
i weld rhyw hen wraig. *She charmed
the wart.* Roedd Beibl ar yr ochr fel'na,
fe fwmblodd hi rhywbeth ac fe roddodd
hi geiniog i mi. 'Peidiwch â gwario'r
geiniog 'na', medde hi. Fe a'th y ddafad.
O'dd hi'n torri iselder ysbryd. O'dd hi'n
torri'r ede. Mesur hyd eich braich ac yn
adrodd rhigwm.

Sylvia Johnson (80), Tal-y-bont.

Eli straen

Fydde mam-gu yn gwneud gwd eli ar
gyfer straen. Run faint o lard a
mwstart a tamed bach o *olive oil* a'u
cymysgu nhw lan fel *paste* bach.

*David Giraldus Cambrensis Morgan (77),
Pen-y-groes, Llanelli.*

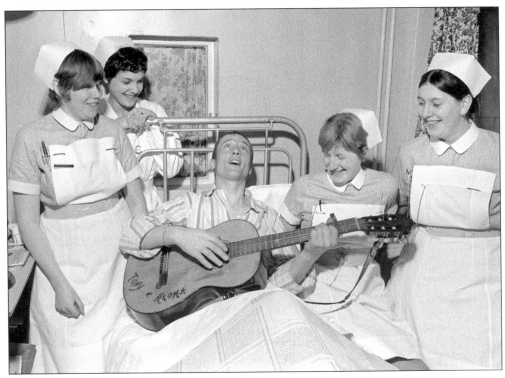

Tony (o Tony ac Aloma), yn mwynhau cwmni'r nyrsus yn Ysbyty Abergele, 1969. Llun Geoff Charles, trwy garedigrwydd Llyfrgell Genedlaethol Cymru.

Pwff o fwg

O'dd nhad yn cynnu sigaret a rhoi pwff o honno i ni pan o'dd y ddannodd arnon ni i weld allen ni fynd i gysgu.

Martha Morgan (54), Tregaron.

Plygo chi i mewn ac anghofio amdanoch chi!

Mae mhrofiad i o'r NHS yn gymysg. Mae gofal nyrsio, gofal person am berson wedi peidio a bod gyda'r dechnoleg newydd, maen nhw jyst yn plygo chi mewn ac anghofio amdanoch chi. Maen nhw'n gallu gwneud gwyrthie yn gwella pobl ond ydi e bob tro er mantais i'r person yna? Wy'n credu bod amser i fyw ac amser i farw a wy'n credu dyle pawb allu marw yn ddi-boen a gyda urddas.

Siân Thomas (49), Castell y Rhingyll.

Gofal yn y gymuned

Roedd sawl person oedd yn y coleg efo fi wedi colli fe a 'di cael eu anfon i *mental hospitals*. Roedd rhywun ar llawr fi yn y fflatiau i fod yn *care in the community* ond doedd dim llawer o gofal iddi hi. Doedd neb ishio gwybod really. '*She's nuts just ignore her!*'.

Catryn Ramasut (23), Caerdydd.

114

Tai ar wasgar

Dwi'n gweithio efo be ma' nhw'n alw'n 'Tai Ar Wasgar'. Ma' gynnon ni bedwar client mewn un tŷ a dau yn y llall, efo anableddau dysgu, dwys rai ohonyn nhw. Ma' 'na naw o staff, pedwar ar ddeg efo'r *reliefs*. Flwyddyn dwytha ges i 'ngneud yn reolwr y ddau dŷ, efo'r cyfrifoldebau a'r cyllidebau a phob un dim arall sy'n mynd efo fo. O'r blaen o'n i fwy o *hands on* ond rwan ers dwi'n rheolwr dwi'n gyrru *memos* at hwn a *memos* at y llall a ryw gyfarfodydd a phetha felly, fel nad oes gyn i ddim gymaint o amser i fod un wrth un efo'r *clients*, neu'r triogolion fel dylwn i eu galw nhw.

Selwyn Jones (38), Tudweiliog.

Marw'n rhan o fywyd

Mae marw yn rhan o fywyd. Dan ni yn y gorllewin yn tueddu i beidio meddwl am farwolaeth fel rhan o fywyd – dyna'r holl beth am y nefoedd – rhywbeth cwbl gwahanol i fywyd ond dyw e ddim, mae e jyst yn rhan o'r broses. Dwi ddim yn edrych ymlaen, ond dwi ddim yn poeni chwaith.

Nick Davies (37), Llangrannog.

Troi corff heibio

Bues i'n gwneud tipyn bach o *underteco*, troi corff heibo a phethe fel 'na. Peth cynta' chi'n neud, os cewch chi fe'n weddol fach, chi'n cael astell a chi'n dodi'r corff arni hi iddo fe gael

Cynhebrwng ar ben drws, golygfa o'r ffilm 'Chwalfa' gan y BBC. Llun Geoff Charles, trwy garedigrwydd Llyfrgell Genedlaethol Cymru.

sefyll yn gwmws a tynnu fe mas o'i blygad. Chi'n dodi fe'n iawn a cha'l i ben e'n didi. Caead y pen wedi 'ny lle bod e'n dishgwl yn anniben. Wedi 'ny chi'n mesur y *coffin* a dod nôl a dodi fe yn y *coffin*. Chi'n plygo'r corff os bydden nhw wedi goryfed. Os bydde dyn wedi marw yn ishte mewn cader ac heb gael ei osod mas yn *straight away* fydde'r cwbwl wedi stiffáu a dyna pryd chi'n clywed storis am bobl yn ishte lan yn y *coffin*! Bydde raid i fi dorri yr asgwrn wedi 'ny i osod rywun yn daclus yn y *coffin*.

David Giraldus Cambrensis Morgan (77), Pen-y-groes, Llanelli.

Amgylchiad

Ddaw'r hen gymdeithas byth yn ôl eto. Flynyddoedd yn ôl pan fydda 'na amgylchiad mewn tŷ fydda pobol yn dwad o bob man i gydymdeimlo a rhoid ryw gydnabyddiaeth, hwyrach ryw hanner coron amser hynny. Wedyn fydda 'na gnebrwng a bwr' wrth ymyl drws a llian gwyn arno fo a pawb yn dwad i mewn a rhoid ryw chwech arno fo – oeddan nhw'n helpu naill a'r llall.

John Ellis Morris (85), Deiniolen.

Angladd mawr

Chydig iawn o bobl sy'n marw yn y cartref heddiw – ma' nhw'n amal iawn yn marw yn yr ysbyty. Dyw'r corff ddim yn dod nôl i'r cartref fel o'dd e

Marlis Jones a'i dosbarth ar drip i Borthmadog, 1996.

116

slawer dydd. Slawer dydd o'dd pobl yn marw yn y cartref a'r angladd yn codi o'r cartref, canu o flaen y drws wrth godi'r corff a cario'r elor i'r capel. Wrth godi'r corff o'r tŷ fe fydde'r gweinidog yn dod i ymyl drws y tŷ ac yn ledio'r emyn. Y tro diwethaf i ni ganu o'dd ryw bum mlynedd yn ôl yn 1993. Dyw e ddim yn cael ei wneud heddi o gwbl. Wy'n cofio'r tro diwethaf i'r elor gael ei defnyddio o'dd yn 1946, cario rhyw dair milltir o flaen y cwm lan i'r capel, dda'th yr hers ar ôl hynny. O'dd hi'n cymryd dwy awr weithie i fynd i angladd yn y prynhawn. Os bydde angladd wedi mynd ar hyd llwybr fydde hwnnw'n llwybr cyhoeddus o hynny mlaen.

Jonathan Davies (84), Pontsenni.

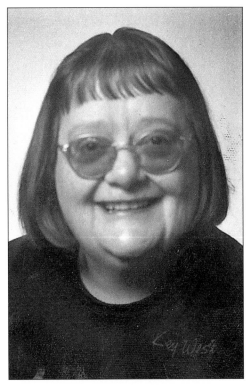

Siân Thomas, Castell y Rhingyll.

Claddu fel arall

Os o'dd pobol wedi rhoi diwedd ar eu hunan doeddan nhw ddim yn cael mynd i'r fynwant run ffordd â phobol erill. Wn i ddim pa ffordd ma' pobl yn arfer mynd i fynwant tae pennau tae traed nhw o'dd yn mynd gynta, sut bynnag oddan nhw'n gorfod troi nhw rownd yn yr iard.

John Ellis Morris (85), Deiniolen.

Proffwydoliaeth

O'dd menyw yn yr Ivy Bush, tincer. O'n i'n gwisgo *carnation*. Ma'r fenyw hyn yn gofyn i mi, '*can I have your flower?*'. '*Sorry*', wedes i wrthi, '*I want it*'. '*You're not going to meet anyone this afternoon,*' medde hi. So dyma mrawd i'n gweud '*have mine*'. '*No,*'

medde hithe, '*you're going to meet the woman you'll marry this afternoon*'. '*I can see a blonde girl with a baby girl in her arms walking up your path*', medde hi. '*You will be married twice*', medde hi wrtha i. Briododd fy mrawd *blonde* a croten gas e gynta a dwi wedi bod yn briod yr ail waith. A'r fenyw yna gweud wrtha'i yn 1944, sorta hwnna mas!

Percy Lloyd (76), Pwll.

Ofergoelus? Na!

Wy' ddim yn ofergoelus o gwbwl. Wy'n gwneud y cyfweliad hyn nawr yn wythnos gyntaf Rhagfyr a dyw fy addurniade Nadolig i ddim i fyny achos dy'n nhw ddim i fod i fyny cyn y deuddegfed o Ragfyr a fydden nhw ddim i fyny funed ar ôl y chweched o Ionawr. Fydda i'n gwneud dymuniad pan fydda i'n bwyta fy mins-pei cynta, a fydda'i ddim yn torri'r gacen Nadolig tan dydd Nadolig. Nos Calan am ddwy funed cyn hanner bydd y gole yn cael ei droi i ffwrdd a'r gwres canolog a'r tecell yn cael ei wacau, ac ar ôl deuddeg o'r gloch fydd y golau yn cael ei gynnau ac fe fydd y tecell yn cael ei lenwi achos chi'n cynnau tân o'r newydd a tynnu dŵr o'r newydd yn y flwyddyn newydd, chi ddim yn cario tân na dŵr o'r hen flwyddyn i'r flwyddyn newydd. Na, wy' ddim yn ofergoelus!

Siân Thomas (49), Castell y Rhingyll.

Ysgol Sul Rhiwdywyll, Tregaron, 1986.

Ofergoel!

Dwi'n dod o deulu *Indian* o Singapore – wrth gwrs mod i'n ofergoelus!

Sheela Hughes (44), Llanfyllin

Arwyddion drwg

Mae dad yn ofergoelus. Mae cael adar yn y tŷ yn beth drwg. Nath aderyn du ddod i lawr simdde ni a nath e chwalu'r stafell ffrynt. Roedd hwn yn *bad omen*. Felly gaethon ni seremoni mawr a daeth y *buddist monks* lawr o Llunden i fendithio'r tŷ.

Catryn Ramasut (23), Caerdydd.

Crefyddau'r byd

Dwi'n Gristion achos mod i wedi cael fy nwyn i fyny yn Gristion. Dwi wedi darllen rhywfaint am grefyddau eraill a dwi'n eu gweld nhw i gyd yn amcanu at yr un peth. O'n i'n dysgu addysg grefyddol i blant yn yr ysgol ac o'n i'n trio egluro iddyn nhw. Ofynodd un plentyn bach i mi pa un o'r crefyddau sy'n iawn. Fy ateb i oedd eu bod nhw i gyd yn iawn. Wrth neud syms, mae 5+5 yn gwneud 10, mae hynny'n iawn; mae 6+4 yn gwneud deg, mae hynny'n iawn; mae 3+7 yn iawn, mae 1+9 yn iawn. Mae sawl ffordd o wneud deg fel mae 'na sawl ffordd o addoli ac o weld Duw.

Marlis Jones (61), Llanbryn-mair.

Pam fi Duw?!

Tasa hwn yn deledu bysech chi'n gallu gweld mod i'n berson mawr iawn o ran corff a bo' fi'n gwisgo sbectol a bo' fi'n hyll – os oes yna Dduw pam ddiawl roddodd e'r DNA hyn i mi?!?

Siân Thomas (49), Castell y Rhingyll.

Pwyso ar Ei fraich …

O'n i'n aelod yn Bwlch-gwynt, ond yn 1993 es i a'n aelodeth o 'na. Yn y cyfnod yna wedyn dechreuwyd gwaith bach Efengylaidd newydd yn Nhregaron dan arweiniad y Parch. Dewi Higham o Gaerdydd. Ni'n dal i fynd i gapel bach Rhiwdywyll fel Ysgol Sul, a ni'n gobeitho'n bod ni'n dal i allu cadw'r drws yn agored.

Do's dim gwahanieth rhwng y ffordd ni'n addoli yn Rhiwdywyll a'r Eglwys Efengylaidd achos ma' pob un ohonan ni'n credu, ar wahân i'r plant efallai, ma' nhw wedi ca'l eu dwyn lan ond dwi ddim yn meddwl eu bod nhw'n gallu rhoi proffes eu bod nhw'n nabod yr Arglwydd Iesu fel eu gwaredwr eu hunen. Ond yr un ddysgeidieth ni'n ga'l yn y ddwy Eglwys. Ni'n pwyso ar air anffaeledig Duw, ar y Beibl, a cymryd y Beibl fel rheol bywyd. Ni'n credu bod dyn wrth naturieth yn golledig a bod angen iddo gael ei aileni a chredu yn yr Arglwydd. A bod beth ma'r Arglwydd wedi wneud drosto fe ar groes Calfaria yn ddigonol i glirio'i fai ac i gynnig bywyd newydd iddo fe a bod hynny'n ddigon, 'Iesu, Iesu rwyt ti'n ddigon …'.

Martha Morgan (54), Tregaron.

(CYLCHGRAWN Y DIGREFYDD)

Rhifyn 3 **Haf 1996**

Mwyafrif pobl Prydain yn Ddi-dduw

Yn ôl arolwg MORI a gynhaliwyd yn gynharach eleni, 43% yn unig o boblogaeth Prydain sy'n credu bod 'Duw' yn bod, er bod 66%, yn rhyfedd iawn, yn eu hystyried eu hunain yn grefyddol a 71% yn credu bod rhyw fath o fywyd ar ôl marwolaeth.

Dywedodd 10% eu bod yn arddel yr hyn y mae Dyneiddwyr yn sefyll drosto, hynny yw eu bod yn ymwrthod â'r gred yn 'Nuw' ac yn ystyried mai dyletswydd dyn oedd gweithio dros gymdeithas deg a chyfiawn.

Siom oedd deall nad oedd 62% o'r rhai a holwyd yn credu mai dyletswydd dynion oedd datrys eu problemau eu hunain ac nad oedd 51% yn credu bod sefydlu hawliau dynol yn fydeang yn bwysig.

Dywedodd Cymdeithas Dyneiddwyr Prydain a gomisiynodd yr arolwg ei bod yn ymddangos bod diffyg goddefgarwch a difaterwch ar gynnydd ym Mhrydain. Galwyd ar bobl i roi'r gorau i'w hagweddau negyddol ac i fagu hunan hyder yn eu gallu i gyfrannu'n bositif er mwyn cael cymdeithas foesol ac ystyriol.

Byddaf yn ffyddlon i Gymru a Chyd-ddyn

Gweler tudalen 2

Siarad Plaen, cylchgrawn y digrefydd.

Troi at Ddyneiddiaeth

Dim ond yn ystod y misoedd diwethaf 'ma dwi wedi troi nghefn ar y defodau crefyddol 'ma, mynd i'r capel, gweddïo a chanu emyn a trio cael rhywbeth allan o'r holl fytholeg 'ma, ar ôl darganfod athroniaeth Dyneiddiaeth a gweld bo' fi ddim yn abnormal yn meddwl mai chwedlau tylwyth teg yw'r pethau hyn. Ar ddechre'r ganrif ddaeth mam-gu a tad-cu o dan ddylanwad diwygiad 1904-05 a dyma fi reit ar ddiwedd y ganrif yn cael fy achub rhag crefydd gan Ddyneiddiaeth. Os newch chi wrando ar y Cristnogion 'ma, ma' nhw'n hoffi dweud ein bod ni i gyd wedi cael ein creu yn nelw Duw ond 'dyn nhw ddim am drafod pobl hoyw ac yn y blaen. Sdim rhaid bod yn grefyddol i fod yn foesol yn eich bywyd bob dydd.

Rhianedd Bowen (60), Cricieth.

Byw a bod yn capal

O'ddan ni'n gorfod mynd i'r capal lot pan oeddan ni'n blant. Fydda i'n meddwl lot am gyfarfodydd Pasg pan oeddwn i'n blentyn. Mynd i'r capal ar nos Sadwrn bora dydd Sul, pnawn dydd Sul, dwy bregath yn y nos, cyfarfod gweddi nos Lun, *Band of Hope* nos Fawrth *class* darllen nos Iau ... yn capal oeddach chi'n byw jyst.

John Ellis Morris (85), Deiniolen.

Mrs Judith Parry, Llannerch-y-medd, ar achlysur ennill Medal Gee am ei ffyddlondeb i'r Ysgol Sul, *c.* 1984.

Gorfod mynd

Dwi'n cofio gorfod mynd i Ysgol Sul a Cyfarfod Plant. Oeddan ni'n gorfod mynd am fod mam a dad wedi gorfod mynd pan oeddan nhw'n hoed ni. Dydi mam a dad byth yn mynd i'r capal. Cheith fy mhlant i ddim mynd gyn i.

Selwyn Jones (38), Tudweiliog.

Mynd i'r capel yn selog

Rwy wedi bod yn mynd i'r un capel nawr oddi ar 1920. Cofio mynd i fyny yn gyntaf i'r Ysgol Sul yn grwt bach pum mlwydd, o'dd raid i fi ddarllen o'r Beibl. Un dosbarth o'dd 'na ac o'n ni i gyd yn darllen o'r Beibl. Darllen trwy'r Beibl o'dd yr amcan pryd 'ny. Pan ddes i'n un ar hugain oed fe etholwyd fi'n ddiacon ac yn ysgrifennydd y capel. Wy' 'di cario mlaen ers tua hanner cant a phump o flynyddoedd. Ma' hi wedi gwaethygu'n enbyd nawr y deugen mlynedd diwethaf 'ma. Ma' dau gapel wedi cau yn Pontsenni nawr. Ni yw'r unig le o addoliad yn y plwyf erbyn hyn. Y ffydd Gristnogol yw'r unig safon i fywyd, ma'n rhaid dilyn dysgeidiaeth yr Arglwydd Iesu. Ma' addysg yn iawn, ond ma'n rhaid cael egwyddor Gristnogol neu does dim safon i fywyd.

Jonathan Davies (84), Pontsenni.

Y meddwl yn crwydro

Hoffen i 'swn i'n gallu bod, fel oedd mam, yn grefyddol, ond o'n i'n dod lan tua diwedd fy ugeinie ac o'n i'n rhannu sêt gyda mam, o'n i'n gweud, 'reit fi'n mynd i wrando beth sydd gyda'r pregethwr i ddweud heno', ond fel oedd y bregeth yn mynd yn ei bla'n roedd fy meddwl i lan ar y mynydd. O'n i ddim yn ffyddlon i fy hunan, o'n i'n twyllo'r gweinidog, twyllo'r gynulleidfa a twyllo fy hunan. Wy' ddim yn dweud mod i'n Gristion. Rwy'n meddwl bod rhywbeth goruwch ond wy' ddim yn meddwl fod 'da dynoliaeth fwy o hawl arno fe na sydd gan unrhyw anifail arall yn y byd 'ma.

Arwel Michael (58), Pen-rhos, Ystradgynlais.

Y saint yn y dafarn

Ma' 'na bobl sy'n mynd i'r dafarn leol sy'n fwy o Gristnogion na'r bobl sy'n mynd i'r capal, fyddan nhw'n helpu chdi'n gynt o lawer.

Selwyn Jones (38), Tudweiliog.

Cristion?

Sai'n grefyddol iawn. Sai'n Gristion cryf ond 'sa rhaid i mi ddewis un crefydd byswn i yn gweud, siwr o fod, Cristion. Sai 'di cael fy medyddio na dim byd fel'ny.

Meirion Morgan (18), Pant, Merthyr.

Ffydd

Dyw'n ffydd i ddim yn rhy gryf. Ddylen i fynd i'r capel yn fwy amal nag ydw i a dyw cyfrannu atyn nhw ddim yn esgusodi o beidio mynd, dwi'n gwybod,

Arwel Michael ger Llyn-y-fan Fawr, 1976.

ond mae'r ffarm yn dod gynta'. Smo fi'n un o'r bobl *holier than thou* 'ma o bell ffordd a dwi'n teimlo bydden i'n rhagrithio sa'n i'n mynd i'r capel a finne'n rhoi ambell i reg i'r creaduried 'ma weithie, fi'n trio bod yn ail i'n lle, ond ma'n galed iawn weithie!

Rowena Snowdon (83), Rhyd-y-fro.

Diolch

Mae gweddïo yn bwysig iawn i fi. 'Ni fethodd gweddi daer erioed...'. Dwi'n gweddïo sawl gwaith y dydd. Mae'r Bod Mawr a fi yn *chums* credwch fi. Mae rhywun wastod yno'n gwrando. Dyma beth fi'n gweud, ond fi'n ado ato fe. 'Diolch i ti Arglwydd mawr am

121

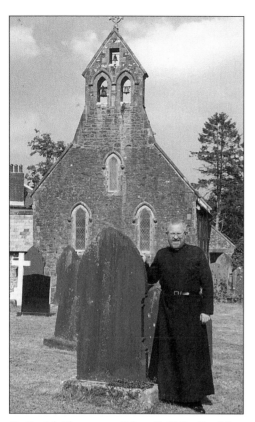

Dr Patrick Thomas ger Eglwys St Teilo, Brechfa.

nosweth o gwsg, gwely cysurus, to dros fy mhen, am y bwyd dwi wedi gael, am ddŵr glân i yfed ac awyr iach. Diolch i ti Arglwydd mawr am fod yn ffrind i mi.'

Sylvia Johnson (80), Tal-y-bont.

Duw yn gefn

Fydda'i ddim yn cychwyn ar siwrnai heb weddïo am ofal Duw a fydda i'n diolch amdano fo pan fydda i'n cyrraedd yn ôl yn saff. Fedra'i ddim gwneud heb y *prop* o gael Duw tu cefn i mi.

Marlis Jones (61), Llanbryn-mair.

Pobl yr ymylon

Mewn un ystyr mae sefyllfa crefydd yng Nghymru ar hyn o bryd yn wael, mae pethau yn dadfeilio, mae'r rhif sy'n mynychu capeli ac eglwysi yn mynd lawr yn y rhan fwyaf o lefydd, ond ddim ymhob man a dim ymhob math o eglwys neu gapel, ond yn sicr mae eglwysi fel sefydliadau yn dirywio yn gyflym. Falle nad yw hynny yn beth gwael i gyd – dwi ddim yn siwr. Mae agwedd amwys iawn gyda fi tuag at eglwysi fel sefydliadau er mod i'n falch iawn o weld y siec yn cyrraedd pob mis i nghadw i i fynd! Wedi dweud hynny mewn un ystyr falle bod rhai pethe yn weddol iach. Mae'r enwadau i gyd wedi cambihafio dros y blynydde. Mae pob siort o dra-arglwyddiaethu wedi bod, pob siort o ormesu wedi bod mewn ffyrdd gwahanol. I mi, lle'r eglwys yw ar yr ymylon gyda pobl yr ymylon. A dwi'n credu bod yr eglwys yn dod yn nes at yr Iesu pan mae'r eglwys ar yr ymylon na phan mae hi yn tra-arglwyddiaethu.

Patrick Thomas (47), Brechfa.

Be Nesa?

Bywyd fel gêm o bêl-droed

Y drwg mwya yn y byd ydi pres a crefydd. Os ydi Robbie Fowler yn ca'l *forty thousand a week* am chwara ffwtbol a finna'n *outside left* dwi ddim yn mynd i roid pêl iddo fo.

Owen Edwards (72), Caergybi.

Y petha gwaetha'n y byd!

Crefydd a Saeson – dyna sy' i gyfri am y drwg yn y byd!

Selwyn Jones (38), Tudweiliog.

Aneurin Karadog a'i frawd, 1983.

Pe bai angen dau ddyfyniad i grisialu'r oes yr ydym yn byw ynddi i mi yna dau o'r bennod hon fyddai hynny. Dwy hen wraig, y naill yn sôn am ei thad yn hanner cynta'r ganrif yn mynnu na cha'i brawd fynd dan ddaear, a'r llall ar ddiwedd y ganrif yn mynnu fod ffermwyr yr oes hon yr un mor benderfynol nad yw eu plant hwy yn mynd i drin y ddaear. Dau ddiwydiant mawr traddodiadol Cymraeg a Chymreig yn prysur fynd i ebargofiant.

Go brin fod y mileniwm yn ddim mwy na heip – heip y mae'r cyfweliadau hyn, y llyfr hwn, y rhaglenni radio, y mygiau, y platiau a'r dathliadau i gyd yn rhan ohono fo. Esgus i wneud arian ac esgus i wario arian. Mae ymateb y cyfranwyr bron un ac oll yn mynnu nad yw'r mileniwm yn golygu rhyw lawer iddyn nhw. Ond wedi dweud hynny mae hi yn garreg filltir sy'n rhoi cyfle i ni fesur ble ry'n ni arni ar y daith.

Mae un o'r cyfranwyr, sydd gyda'r ieuengaf ohonynt, Kevin Bohana o Gaernarfon, yn mynnu edrych tua'r dyfodol gyda gobaith, ac efallai mai dyna ddylem ninnau wneud – mwynhau'r partïon nos Calan ac edrych ymlaen at lechen lân, a meddwl beth i sgwennu arni ...

RAJ

Ofn dim?

Ers o'n i'n groten fach wy' ofon bod yn fy nim. Bod dim byd i gael 'da fi, bod popeth yn cael mynd oddi wrtha'i, mod i'n colli popeth. Mae'n dod yn agos nawr 'da ffarmo. Oes rhaid i ni roi fyny? Ydi popeth ni wedi wneud, y gwaith caled ni wedi wneud, yn mynd yn ofer? Mae ofon arna'i fod e.

Rowena Snowdon (83), Rhyd-y-fro.

Ofn

Dwi ofn marw. Dwi ofn colli mam fi. Dach chi ddim yn gwbod pryd dwi'n mynd i weld mam fi ddwytha. Ella na hwnna di'r *last hug* dwi rioed 'di ga'l gynni hi.

Dylan Roberts (14), Caernarfon.

Chaiff y plant ddim mynd dan ddaear!

Wy'n cofio un dydd Gwener a nhad yn dod adre â'i bae. Coron o'dd y pae a wy'n cofio mam yn dweud, 'William beth alla'i wneud â coron?'. O'dd nhad yn dweud o hyd, 'chaiff mab i mi byth fynd i'r gwaith glo, byth'. O'dd gen i frawd a chas e ddim mynd wrth gwrs.

Gaynor Tiplady (87), Pen-bre.

Colli gobaith

Dyma'r argyfwng gwaetha mewn amaethyddiaeth o bell ffordd, o bell ffordd. Ni'n colli pob gobeth. Mae pob ffarmwr wy'n nabod yn gofalu nad yw'r plant ddim yn ffarmo.

Rowena Snowdon (83), Rhyd-y-fro.

Rowena Snowdon a Dai Jones, 1991.

Popeth yn gymharol

Ma'r argyfwng yma mewn amaeth yn ddrwg i'w gymrau â deng mlynadd yn ôl. Dyna'r gwahaniaeth mawr. O'dd hi'n amser da ddeng mlynedd yn ôl neu hyd yn oed bum mlynedd yn ôl. Dan ni'n cymharu rwan efo'r adeg honno, tasan ni'n gymharu o efo'r pumdege neu'r chwedege cynnar fydde hi ddim yn edrych mor ddrwg, gyn belled â dan ni yn y cwestiwn yn de.

Emlyn Evans (69), Llansannan.

Meirion Morgan, Merthyr.

Ofn y cam nesa

Dwi ofn gadal rysgol. Dwi jyst ddim ishio mynd i lle dôl. Dwi byth yn fy mywyd ishio nôl papur dôl. Byth. A dwi ofn mod i'n mynd i droi allan fel'na. Ond dwi jyst yn mynd i drio gora, gora, gora fedra'i i beidio mynd yna. Fedra'i ddim gneud dim gwell na hynna na fedra? Ond dyna be dwi ofn. Ofn methiant yn byd gwaith. 'Di byw ar y dôl ddim yn fyw nacdi?

Kevin Bohana (16), Caernarfon.

Dim byd sbeshal

Mileniwm? Y diwrnod ar ôl nos Calan fydd popeth yn mynd yn ôl i normal. Sai'n gweld dim byd sbeshal yn digwydd yn y flwyddyn dwy fil nac yn y mileniwm.

Meirion Morgan (18), Pant, Merthyr.

Fel y banc?!

Mileniwm? Wy'n edrych mlaen i weld y mileniwm. Mae byw dros y cyfnod lle mae'r dyddiad yn newid yn beth eitha ecseiting, gobeithio gawn ni barti da! Does dim problem 'da fi 'da'r cyfrifiadur wy' wedi sortio hynny allan. Cyn belled nad ydi'r banc ddim yn colli fy arian i fydda i'n berffaith hapus!

Siân Thomas (49), Castell y Rhingyll.

Jonathan Davies, Brychgoed.

Ysbyty

R unig beth wy'n sobor iawn o anfodlon ynglŷn â fe yw'r holl arian a ffws sy'n cael ei wneud am y milenwim pan fo anghenion eraill mwy pwysig 'da ni. Sa'n well lawer adeiladu ysbyty fawr na'r Dome.

Dilwyn Davies (71), Gors-las.

Ysbytai? Ysgolion?

M ileniwm? Gwastraff arian. Pethe fel y Dome 'ma, allen nhw roi e i well pwrpas. Deg ysgol neu deg 'sbyty.

Brenig Jones (79), Maerdy.

Arian y mileniwm

D wi'n meddwl fod y *milenium* yn *over rated*. Dwi wedi cael digon o clywed am y *milenium*. Os dwi'n ca'l tipyn o arian i neud *projects*, *ok*, ond dwi ddim yn meddwl lot am y *milenium* – jyst blwyddyn newydd – dim byd pwysig i mi.

Sheela Hughes (44), Llanfyllin

Dim yw blincin dim!

M ileniwm? Dim yw blincin dim! Dim yw blincin dim! A'r Dome 'ne – mae ishie'u saethu nhw. Pobl yn Llunden ar y *streets* a bildo rhywbeth fel'na! Mae colled yn rhywle does?

Sylvia Johnson (80), Tal-y-bont.

Kevin Bohana, Caernarfon, ychydig wythnosau cyn iddo ymuno â'r fyddin.

Holy Day – Holiday

Ma'r mileniwm fel pob gŵyl grefyddol – ma' peryg i ni droi'r *Holy Day* yn *holiday*. Yn lle cofio bod dwy fil o flynydde oddi ar marwolaeth yr Arglwydd Iesu mae e wedi mynd yn gyfle i wneud arian fel y gallen nhw.

Jonathan Davies (84), Pontsenni.

Gobaith y mileniwm

Ma' 'na milenwim newydd yn dwad rwan, a dwi'n gadal ysgol a bob dim. Sbïwch petha sgyna fi i edrach ymlaen i blwyddyn nesa rwan. Dwi'n gadal rysgol yn yr ha'. Gynno fi waith, dwi'n joinio'r *army*. Gynno fi mileniwm newydd. Mae o'n brofiad, dim pawb sy'n ga'l o naci? Dwi yn yr oed iawn i weld o. Dwi'n *sixteen*, *seventeen*, pan ddaw'r mileniwm a dwi'n falch o hynna! Adeg yna ma' bywyd fi yn dechra i fi ia, ddim gneud be ma' rywun arall yn deud wrtha fi am neud. Fi sy'n gneud dewisiada fi *so* ma' gynna fi rwbath i edrach ymlaen ato fo.

Kevin Bohana (16), Caernarfon.